살아있는 것들의
눈빛은 아름답다

살아있는 것들의 눈빛은 아름답다

1판 1쇄 발행 2016년 6월 15일
1판 3쇄 발행 2021년 4월 15일

지은이 박종무
펴낸이 김현정
펴낸곳 도서출판리수

기획·홍보 김현주

등록 제4-389호(2000년 1월 13일)
주소 서울시 성동구 행당로 76 110호
전화 2299-3703
팩스 2282-3152
홈페이지 www.risu.co.kr
이메일 risubook@hanmail.net

ISBN 979-11-86274-08-8 03300
※책값은 뒤표지에 있습니다.
※잘못 제본된 책은 바꾸어 드립니다.

※이 도서의 국립중앙도서관 출판시도서목록(CIP)은 서지정보유통지원시스템 홈페이지(http://seoji.nl.go.kr)와
  국가자료공동목록시스템(http://www.nl.go.kr/kolisnet)에서 이용하실 수 있습니다.
  (CIP제어번호 : CIP2016013296)

수의사 아빠가 딸에게 들려주는 **함께 살아가는 동물 이야기**

살아있는 것들의 눈빛은 아름답다

◆ 박종무 ◆

리수

　《살아 있는 것들의 눈빛은 아름답다》의 원고를 받고나서 제일 처음 든 생각은, 저자인 박종무 원장님의 놀라운 부지런함이었다. 동물병원을 운영하는 수의사로서의 본연의 일은 물론 봉사활동이나 관련 분야 공부로 인해 무척이나 바쁜 생활을 하는 와중에 동물 관련 책을 연달아 펴낸다는 것이 얼마나 어려운 일인지를 잘 알고 있기 때문이다.

　하지만 이 책의 원고를 다 읽고 난 이후에는, 그가 부지런해서 책을 쓰는 게 아니라 정말로 동물을 사랑하기 때문에, 많은 독자들에게 들려주고픈 이야기가 너무 많기 때문에 책을 펴내고 있다는 사실을 깨달았다.

　저자는 올해 중학교에 들어간 둘째딸 리준이와의 대화 형식을 빌어 우리가 일상에서 접하는, 동물들의 제반 문제에 대해 아주 알기 쉽게 설명해준다. 리준이의 질문은 아주 보편적이면서도 단도직입적이고 아빠의 대답은 상세하면서도 체계적이다.

　박종무 원장님의 글은 단지 동물복지나 사회적 소수자들의 권리에 관심 있는 사람으로서의 관념적 이해가 아니라, 아주 오랜 기간 동안 동물병원을 운영하면서 접했던 실제 사례들과 동물보호 운동의 현장 경험이 녹아 있어 글의 진정성과 구체성이 돋보인다.

　우리는 점점 더 동물과의 관계 맺기가 복잡해지는 시대에 살고 있다. 반려동물과 유사 가족 관계를 맺기도 하고 점점 더 많은 종류의 고기를 먹으

며, 동물들의 끔찍한 고통과 희생의 기반 위에서 의복과 가방, 눈요기 거리
와 안전성을 확보하고 있다.

근래 몇 십 년 사이, 동물들의 고통은 양적으로 급속히 팽창되고 질적으
로 더 교묘하게 잔혹해지고 있다. 인간과 동물의 관계에서 인간 중심의 일
방향적 착취는 더 이상 지속 가능하지 않다는 경고등이 켜진 지 오래다.

이 파괴적인 악순환의 고리를 끊기 위해서는 이 책이 아주 좋은 가이드
가 될 것임을 믿어 의심치 않는다.

머지않은 장래에, 살아 있는 것들의 모든 생명들의 눈빛을, 진정 아름답
다고 느낄 수 있는 시기가 도래하기를 진심으로 바래본다.

임순례 / 영화감독, 동물권행동 KARA 대표

감사의 글

생명이지만 생명으로 존중받지 못하고 사람들에 의해 고통받는 동물들을 위하여 조금이라도 도움이 되고 싶다는 생각에 수의사가 되고, 아픈 동물을 치료한 지 20년이 넘었습니다. 동물병원에서 다양한 동물들을 만나고 또 관심을 갖게 되면서 우리와 함께 살아가는 동물들이 어떤 모습으로 살고 있는지 자세히 들여다볼 수 있었습니다.

우리와 동시대를 살고 있는 동물들은 다양한 형태로 고통받으며 살고 있습니다. 흔히들 동물을 고통스럽게 하는 동물 학대는 특정인에 의해서 발생한다고 생각합니다. 하지만 현실은 그렇지 않습니다. 동물의 고통은 어느 특정인에 의해서 또 어느 한 영역에 한정되어 발생하지 않습니다.

동물병원에서 많이 이루어지는 상담 중에 하나가 키우고 있는 개를 더 이상 키울 수 없게 되었으니 어디 보낼 곳이 없겠느냐는 것입니다. 키울 수 없는 사연도 매우 다양합니다. 그렇게 버려지는 유기견은 2012년도에 공식적으로 집계된 것만 해도 10만 마리 가까이 됩니다. 유기견들은 유기견 보호소로 보내지는데 그중 새로운 보호자를 만나는 경우는 30% 정도입니다. 나머지 유기견들은 안락사를 당하거나 질병에 의해 죽음을 맞습니다. 한때는 보호자에게 사랑을 받았던 개일지라도 버려지는 순간 고통의 가시밭길을 걷게 됩니다. 보호자가 더 이상 키울 수 없다고 생각하는 순간 동물 학대는 시작될 수 있습니다.

애정을 갖고 키우던 반려견들도 이러한 일을 당하는 경우가 많은데 하물며 보살핌을 받지 못하는 대다수의 동물들은 더 말할 나위가 없습니다. 2014년도에 조류독감으로 인해 1,400만 마리가 넘는 가금류가 살처분되었습니다. 이렇게 가금류들이 죽임을 당한 것은 가금류가 모두 조류독감에 걸렸기 때문이 아닙니다. 전염병 확산을 예방하는 차원에서 그렇게 한 것입니다. 하지만 그 속을 더 자세히 들여다보면 병아리들을 운동도 전혀 할 수 없는 좁은 공간에 밀집 사육하고, 균형적인 신체 발달은 고려하지 않은 채 체중 증가만을 염두에 둔 옥수수 위주의 사료를 먹이는 공장식 축산이 있습니다. 이러한 공장식 축산으로 인해 닭들의 면역력이 저하되기 때문에 문제가 심각해진 것입니다. 또 그 공장식 축산을 좀 더 들여다보면 더 싼 가격에 더 많은 고기를 먹기 위한 사람들의 욕망이 자리잡고 있습니다. 결국 조류독감으로 인해 수많은 가금류가 시시때때로 살처분되는 것은 축산업자들이 더 많은 돈을 벌기 위한 욕심뿐만 아니라 소비자의 욕심으로 인해 생겨난 일입니다.

유기견이나 양계장의 닭들뿐만 아니라 우리와 동시대를 살고 있는 수많은 종류의 동물들은 사람들의 욕망을 채우기 위한 수단이 되어 힘겹게 살아가고 있습니다. 돈이 되는 가축이나 번식장의 개와 고양이들은 더 많은 돈을 벌기 위해 제대로 숨쉬기조차 힘든 너무나도 열악한 환경에서 사육됩니다. 그리고 돈이 되지 않는 수평아리나 길 위의 고양이나 개들, 또 비둘기와 같은 동물들은 이런 저런 이유로 죽음에 내몰립니다.

동물병원에서 또 여러 유기동물보호소로 봉사활동을 다니면서 많은 동물들의 눈빛을 볼 수 있었습니다. 맑은 수정과도 같은 눈동자를 바라보고 있자면 그 동물들의 마음이 어렴풋이 느껴집니다. 공포와 절망, 두려움, 외로움을 담은 눈을 보면 이 동물들 또한 하나의 생명이라는 생각이 들고, 우리가 이 생명을 이렇게 가혹하게 다루어도 되는가 하는 의문이 꼬리에 꼬리를 물게 됩니다.

이 책은 제가 동물병원과 유기동물보호소, 그리고 생활 주변에서 흔하게 볼 수 있는 다양한 동물들을 우리가 어떻게 대해야 하는가를 고민하면서 썼던 오마이블로그의 글들을 정리한 것입니다. 우리는 하루하루를 주변의 무수한 생명들과의 관계 속에서 살아가고 있습니다. 그 생명들 중에는 우리가 부지불식간에 관계를 맺고 있는 많은 동물들이 있습니다. 우리는 그 동물들과 어떤 관계를 맺고 있을까요? 우리는 자신도 모르는 사이에 인간 중심적인 시각으로 그들 생명을 바라보고, 우리의 욕망을 채우기 위한 수단으로만 다루고 있습니다. 이 책이 우리가 이 동물들과 어떤 관계를 맺고 살아가고 있는지 살펴볼 수 있는 계기가 되면 좋겠습니다. 또 우리가 동물들과 더불어 함께 살아가는 방법을 모색하는 데 도움이 되기를 희망합니다.

박종무

차례

1부 유기동물에 대하여

2부 도시의 동물에 대하여

3부 축산동물에 대하여

1부
유기동물에 대하여

왜 애완동물이 아니고 반려동물일까

갈수록 개나 고양이를 키우는 집들이 늘어나고 있습니다. 공동주택관리법에 의해 동물의 사육을 제한하고 있는 도시의 아파트에서도 예외는 아닌 듯합니다. 법규상으로는 공동주택에서 동물의 사육을 자제하라고 하지만 많은 사람들은 동물을 키우며 살아갑니다. 사람들과의 단절로 인해 생기는 공허한 무엇인가를 동물을 키우면서 채우고 있는지도 모릅니다. 그 동물을 지칭하는 용어로 애완동물이라는 말을 오래도록 사용해왔습니다. 그런데 최근에는 애완동물이라는 표현보다는 반려동물이라는 표현이 퍼져나가고 있습니다. 물론 이 반려동물이라는 호칭에 대하여 거부감을 보이는 사람들도 있습니다. 그런데 왜 동물을 사랑하는 사람들은 애완동물이라는 호칭을 두고 반려동물이라는 호칭을 사용하는 것일까요? 애완이라는 단어와 반려라는 말의 사전적 의미를 한번 살펴볼까요?

애완[愛玩]

[명사] 동물이나 물품 따위를 좋아하여 가까이 두고 귀여워하거나 즐김.

반려[伴侶]

[명사] 짝이 되는 동무.

이 두 단어의 의미를 모르는 사람은 없을 겁니다. 그런데 이 두 단어 사이에 어떤 차이가 있기에 동물을 사랑하는 사람들이 굳이 애완동물이라는 말을 버리고 반려동물이라는 말을 사용하려는 걸까요?

애완과 반려 두 단어의 가장 명확한 차이는 주체(主體)입니다. 애완은 주체가 사람이므로 사람이 행위의 주체가 되어 동물을 좋아하는 것입니다. 이때 동물은 그저 대상일 뿐이어서 사람이 좋아하면 데리고 있고, 싫어지면 버리는 그런 물체에 지나지 않습니다. 반면에 반려의 주체는 사람과 동물 모두를 말합니다. 짝이란 서로가 동등한 입장에서 만나 관계를 맺는 것입니다. 흔히 부부를 인생의 반려자라고 하는 것처럼 누가 누구에게 종속되는 것이 아니라 동등한 입장에서 서로 의지하며 삶을 살아가는 것이지요.

예전에는 문제삼지 않았던 호칭이 지금에 이르러 문제시되는 이유는 동물이라는 생명을 바라보는 시각이 변화되고 있기 때문입니다. 예전에는 동물을 그저 사람의 욕구를 해소하기 위한 수단으로만 여겼지요. 가지고 놀든 타고 다니든 아니면 잡아먹든 그것은 사람의 필요에 따른 존재에 지나지 않았습니다. 필요가 없어지면 잊혀지고 쓸모없는 것으로 치부되면 버렸던 것입니다.

하지만 점점 사람들의 생명 존중 의식이 높아지면서 생명이라는 것을 어떻게 바라볼 것인가 하는 문제가 제기되기 시작한 것입니다. 그러면서 인간중심적 사고방식에 대해서 의문을 던지기 시작한 것이지요. 지금까지 사람들은 세상의 모든 생명을 인간의 필요성에 따라서 판단하고 소용 있는 것과 소용없는 것으로 나눠버리고, 있어야 할 것과 없어져야 할 것으로 구분해왔습니다. 하지만 이러한 인간중심적 사고방식은 많은 문제를 야기시켰습니다.

자연의 생명들은 저마다 나름의 존재 의미를 갖고 있으며 생태계는 수많은 생명들의 관계 속에서 온전한 모습을 유지해왔습니다. 이로부터 나오는 것이 '생명권'과 '동물권'이라는 가치입니다. 인권이란 것이 그 사람이 잘났든 못났든, 남자든 여자든, 어린이든 어른이든, 흑인이든 백인이든 상관없이 존중받을 권리를 지니는 것과 같습니다. 생명이란 인간의 이해관계와 상관없이 그 자체로 존엄한 권리를 갖는다는 것이 생명권입니다. 생명권에 대한 생각은 갈수록 확산되어질 것입니다. 얼마 전에 개정된 동물보호법에도 이러한 생명권의 시각이 반영되었고, 그 반영의 정도는 갈수록 더해질 것입니다. 지금까지 양계장의 닭들은 좁은 곳에 4~6마리씩 가두어져 꼼짝도 하지 못하는 상황에서 알만 낳아야 하는 기계에 불과했습니다. 개정된 법은 이러한 닭들조차 생명으로서 최소한의 존엄성을 유지하기 위한 환경으로 개선해줄 것을 권고하고 있습니다. 식용으로 기르는 동물에게도 반영되어지는 생명권이라는 권리가 집에서 함께 사는 동물에게도 적용되어야 함은 두말할 나위가 없지요.

이러한 생각의 변화에 따라 사람들은 같이 살아가는 동물을 애완동물이라 부르던 것에서 반려동물로 부르기 시작한 것입니다. 이 모든 것은 생명에 대한 고민이 확장된 결과라 할 수 있습니다.

1부에서는 반려동물로 키워지다 어느 한순간 버림을 당한 유기동물에 대하여 저의 딸 리준이와 이야기를 나눠보려 합니다. 20년이 넘도록 동물병원에서 일해 오면서 보통 사람들보다는 조금 더 많이 유기동물을 만나왔다고 생각합니다. 여러분은 유기동물의 눈빛을 본 적이 있나요? 어쩔 줄 모르고, 불안에 가득 찬 그 눈빛을 볼 때마다 느꼈던 안타까움과 착잡함 그리고 고민해왔던 문제들을 함께 나누고자 합니다.

1

유기동물과 안락사 문제

내 품에 들어온 앉은뱅이 하얀 개 어떻게 할까

아빠, 집에서 키우던 강아지나 고양이를 잃어버릴 경우에 전단지를 만들어 붙이잖아요. 동물병원에 붙어 있는 것도 많이 봤어요. 그러면 길 잃은 동물을 발견하면 동물병원에 데려가면 되나요?

리준아, 동물병원은 기본적으로 아픈 동물을 치료해주는 곳이란다. 그럼에도 불구하고 잃어버린 동물의 전단지를 붙여주는 이유는 동물을 키우는 사람들이 동물병원을 자주 찾아오기 때문이야. 동물에 관심이 많은 사람들이 오가는 곳이다 보니, 비슷한 동물을 어디서 본 적이 있다고 알려주기도 하니까 말이야. 거꾸로 길 잃은 동물을 데려와 주인을 찾아달라고도 하지.

하지만 유기동물은 꼭 동물병원에서만 만나게 되는 건 아니란다. 예전에 아빠가 아침 운동을 하려고 응봉동에서 영동대교까지 자전거를 탔던 적이 있어. 한강변을 따라 조성된 자전거도로를 타고 서울숲을 지나 영동대교로 향하는 길은 초가을의 선선한 바람과 도로 옆의 갖가지 꽃들, 그리고 탁 트인 한강의 풍경으로 아침 자전거 타는 길로는 더할 나위 없이 좋았어.

이렇게 시원하고 경쾌한 자전거도로를 달리고 있는데 저만치 앞에서 자전거 타는 사람들이 무엇인가를 조심스레 피해 지나가는 게 보였어. 가까이 다가가서 보았더니 조그만 개가 어디를 다쳤는지 앞발로만 몸을 끌고서 자전거도로를 따라 기어가고 있는 거야.

어떡하다가 저리 다쳤을까? 자동차에 치였다면 치명적이었을 텐데 두발로나마 열심히 기어다니는 것을 보면 자동차가 아닌 자전거 정도에 치인 것 같았어. 자전거가 이렇게 쉬지 않고 다니는 길에 있으면 추가적인 사고가 발생할 수 있는데, 어떻게 하려고 자전거도로에서 계속 다니고 있을까. 조깅을 하는 사람들도 자전거를 타는 사람들도 모두 그 개를 피해 지나갔어. 아빠도 조심스럽게 피해 지나갔단다.

그 개를 비켜서 지나갔지만 마음은 찜찜했지. 저 개를 어떻게 하는 것이 좋을까? 여러 가지 생각들이 스쳐지나갔지. 저 상태로 그냥 놓아두면 또다시 사고가 날 수도 있는데…. 두 다리로만 저렇게 몸을 계속 끌고 다니면 욕창 등의 2차적인 염증으로 몸이 썩으면서 고통스러울 텐데. 그리고 무엇보다도 한강변 자전거도로에는 먹을 것도 없고 물도 없어. 그러한 고통을 알면서도 모른 척하는 것은 생명에 대한 최소한의 예의가 아니라는 생각이 들었어.

그렇다고 내가 데리고 가서 무엇을 할 수 있을까. 다리를 다쳤으니 어디가 다쳤는지 엑스레이 검사를 할 수는 있겠지. 또 조금 더 관심을 갖고 다친 곳이 어디인지 봐서 적절한 치료까지는 해줄 수도 있을 거야. 그것은 내가 할 수 있는 것을 잠깐 할 뿐인 거지. 하지만 그 이후에는 어떻게 할까. 순종도 아니어서 어딘가로 입양을 보내기도 쉬울 것 같지 않은 저 개를 죽는 날

자전거 도로에서 만난 하얀 개. 뒷다리를 질질 끌며 가고 있었다.

까지 내가 평생 데리고 있을 수 있을까? 자신이 없었단다. 아빠가 그만큼
박애적인 사람이 아님을 알기 때문이야. 또 귀찮은 것을 가능하면 피해가
고 싶은 평범한 사람이기도 하니까 말이야. 동물구조협회에 연락을 해서
유기견이 다리를 다쳤으니 데리고 가라고 하면 와서 데리고 갈 거야. 그럼
어떻게 될까? 이런 저런 생각을 하며 청담대교까지 갔다가 돌아오는데 아
직도 그 개가 자전거가 다니는 그 길을 두발로 몸을 질질 끌면서 힘겹게 기
어가고 있는 거야.

흠, 그냥 두고 올 수가 없었단다. 개에게 이리 오라고 손짓을 하니 두발로 다가오더구나. 잡으려고 하니 경계하는 눈빛으로 이빨을 드러내며 으르렁거리더라고. 그러지 말라고 다독거리니 경계가 풀렸는지 내 두 발 사이로 파고들어오는 거야. 어쩌겠어.

자전거에 바구니가 없어 태울 수가 없으니 개를 안고서 자전거를 끌고 걷기 시작했단다. 자전거에 바구니 달린 사람들이 있어서 이 개를 자전거도로가 끝나는 곳까지만 실어달라고 부탁했는데, 다들 부담스러운지 피해서 가는 거야. 어쩔 수 없이 그냥 안고서 걷다가 스티로폼이 있기에 그것을 받침삼아 자전거에 개를 태우고 돌아왔단다.

개를 안고 들어오니 엄마가 의아한 눈빛으로 웬 개냐고 묻더라고. 교통사고로 다쳐 자전거도로를 기어다니기에 데려왔다고 하니 오늘 이 사람이 왜 하지 않던 행동을 할까, 하는 눈으로 쳐다보던걸. 그러게 왜 그랬을까?

그 하얀 개의 엑스레이 사진을 찍어보니 골반 뼈가 부러져 있었어. 그 이외에는 두 앞발로 몸을 끌고 다니면서 다리 쪽 피부 몇 군데가 까진 정도이고 다른 큰 손상은 없어 보였어.

그나마 다행이라고 할 수 있었지. 골반 뼈가 부러진 것이야 복잡해 보이는 것이 아니니 수술을 하면 될 것 같았어. 문제는 그 다음이지. 수술을 하고 회복된 후 이 개를 어떻게 할 것인가 하는….

집 잃은 개는 동물구조협회에 연락하면 데리고 간다면서요? 뭐가 걱정이에요?

리준아, 아빠가 이렇게 유기동물을 볼 때마다 마음이 무겁고, 동물구조협회에 보내는 것을 망설이게 되는 이유는 그리 간단하지 않단다.

동물구조협회에는 하루에도 수십 마리의 유기견이 신고 접수되는 곳이

22

야. 이 개에게만 특별히 신경써줄 수 있는 상황이 아니라는 뜻이지. 뿐만 아니라 보호소 공간이 한정되어 있기 때문에 매일매일 접수되어 들어오는 유기동물을 모두 수용할 수도 없어. 보통 열흘 이내에 주인이 찾아가지 않거나, 새로 돌봐줄 주인을 찾지 못하면 안락사시킨단다. 결국 내가 동물구조협회로 보낸다는 것은 유기견이 안락사되도록 보내는 것과 다를 바가 없는 거야. 사람들이 동물병원으로 유기견이라고 데리고 오는 경우에도 우리나라 유기동물 관리 시스템이 유기견을 발견했거나 접수한 경우에 구청에 연락하여 동물구조협회로 보내도록 되어 있기 때문에, 내가 데려와서 직접 연락을 하기는 싫은 거지.

유기동물이 동물구조협회로 보내져도 열흘밖에 살지 못한다니! 몰랐어요. 동물구조협회에서는 최후의 방법으로 안락사를 선택할 수밖에는 없나요?

보호소에서 결국에 안락사를 선택할 수밖에 없는 가장 큰 요인은 예산에 있다고 봐야겠지. 이 말은 곧 유기동물의 수는 너무 많고 유기동물에게 할당된 예산은 한정되어 있다는 이야기야. 한 해에 버려지는 개가 공식 집계로만 10만 마리에 이른단다. 공식 집계된 수치라는 것은 지방자치단체가 위탁한 구조협회나 보호소들에서 처리한 유기견의 수를 말하는 거야. 집계되지 않은 유기견까지 감안하면 한 해에 버려지는 개는 훨씬 늘어날 거야.

문제의 발단은 버려지는 개들이 너무나 많다는 것에 있다고 볼 수 있어. 지방자치단체는 길거리에 개가 돌아다닌다는 민원을 받으면 그 민원을 해결하기 위하여 개를 포획하여 구조협회로 보내. 지방자치단체와 계약을 맺은 구조협회는 그 개를 처리하는 만큼 비용을 받는 시스템이야. 한 마리당 예산은 대부분 10만 원 선이란다. 지방자치단체는 유기견 민원이 발생하면

10만 원을 지불하고 구조협회에 떠넘기면 끝이야. 구조협회에서는 일단 길거리 혹은 동물병원에 있던 유기견을 데리다 구조협회에 가두어두는 거지. 그런데 구조협회의 공간은 한정되어 있고, 유기견 구조 요청은 계속 들어와. 개를 데리고 와야 수익이 나기 때문에 먼저 들어온 개들을 처리하는 거야.

그래서 먼저 들어온 개들은 10일 정도 되면 안락사된단다. 그나마 서울시의 경우 2016년도부터 20일 동안 보호한 후 안락사시키기로 했어. 안락사의 이유는 이것저것 많아. 개의 건강이 안 좋고 어디로 입양가기도 힘들고 살아 있는 것이 고통이기 때문에 안락사를 시킨다고 해. 말이 좋아서 안락사지 그것을 어떻게 안락사라고 할 수 있겠니. 안락사란 고통이 너무 심한 생명에게 그 고통을 덜어주기 위해서 불가피하게 실시하는 처치를 말한단다. 관리공간이 협소하다는 이유만으로 죽임을 당하는 개들을 안락사했다고 할 수는 없다고 생각해. 그것은 단지 죽여 없애는 과정을 미화하기 위한 표현에 지나지 않아. 정확하게 표현하자면 살처분이라고 해야 맞단다. 살처분이라고 표현함으로써 살처분하는 당사자나 유기견보호소 그리고 지방자치단체의 관계자가 심리적으로 불편하다면 그 불편함은 마땅히 감수해야겠지. 어떻게 생명을 죽이면서 불편하지 않을 수 있겠니? 생명을 죽이면서 불편하지 않다면 그것이 더 문제겠지. 그 불편함을 구조적으로 개선할 수 있는 방법을 모색해야 해. 지금의 불편함을 덮어버리고 아무 문제도 없다는 식으로 넘어가려고 하는 방식이 유지되어서는 안 되겠지.

동물구조협회에서 안락사를 선택할 수밖에 없는 문제를 들어보니 근본적인 것은 유기동물의 수가 너무 많기 때문이네요. 유기동물 수를 줄일 수 있는 보다 근본적인 대책은 없을까요?

사설 유기견 보호소에 머무는 유기견은
적어도 안락사 되지는 않는다.

리준아, 네 말이 맞아. 지금 당장 유기견의 수가 너무 많고 그 유기견을 처리하기 위한 방법으로 불가피하게 살처분 방식을 취할 수밖에 없는 상황이라면, 이런 상황 자체를 극복하고자 하는 의지가 중요하겠지. 그러기 위해서 먼저 유기견이 다량으로 발생하는 원인이 무엇인지 살펴보고 그 원인들을 해결하기 위한 구조적인 시스템이 마련되어져야 할 거야.

그 방안으로는 동물등록제, 애견보호자의 교육과 허가제, 동물판매업자 관리 강화, 인터넷상의 동물 판매 금지 등 여러 가지가 있어. 이러한 정책들을 현실화시키려면 소요되는 재원이나 이익단체들의 반발과 같은 어려움이 있을 수도 있어. 그럼에도 불구하고 살아 있는 생명을 대량으로 죽여 버리는 오늘의 반생명적인 유기동물 정책을 극복하기 위해서는 구조적인 해결방안을 마련하는 것이 필요하단다.

유기동물이 발생하면 민원이 들어온다고 하는데, 유기동물 때문에 불편한 점은 어떤 것이 있을까요?

우선은 도시의 위생환경적인 면에서 문제를 야기시키겠지. 대소변을 아무 곳에나 보고 관리가 되지 않으니 피부병 등을 앓고 또 전염병을 옮기는 매개가 될 수도 있고. 또 배가 고프니까 음식을 찾아서 쓰레기봉투를 뜯어 도시위생을 해칠 수도 있고 말이야. 안전 면에서도 문제가 일어날 수 있어. 차도로 뛰어들어 교통사고를 유발할 수도 있고, 경우에 따라서는 행인에게 위협적인 행동을 하거나 개를 싫어하는 사람에게 심한 불쾌감을 줄 수도 있지.

하지만 아빠는 입장을 바꿔 생각해보는 것이 필요하다고 생각해. 사람들 입장에서 유기동물이 불편하다고 하지만, 집을 잃은 개들에게 도시는 위험하기 그지없는 곳이야. 씽씽 달리는 자동차는 치명적인 흉기야. 실제로 운전을 하고 다니다보면 도로에 차에 치여 죽어 있는 동물들의 사체를 가끔 보게 돼. 또 우리나라는 아직도 개고기를 먹는 사람이 적지 않아서 언제 보신탕업자들에게 잡혀갈지도 알 수 없는 노릇이고 말이야.

어쨌든 유기견 문제는 반드시 해결해야 할 도시문제 중에 하나야. 유기견이 불쌍해서 개인적으로 사비를 들여 자발적으로 나서서 돌봐주는 사람들도 있단다. 하지만 사회적인 문제를 개인의 희생으로 해결하기에는 한계도 있고 그것에만 의존해서도 안 돼. 사회적인 문제는 사회적인 시스템으로 해결해야 하지. 현재 유기견과 유기묘를 관리하기 위해서 서울시에서는 1년에 몇 십억 원의 예산을 지원하고 있단다. 그럼에도 불구하고 계속적으로 발생하는 유기견과 유기묘로 인하여 밑 빠진 독에 물 붓기 식의 행정이 되고 있어.

흰둥이는 다행히 마실 물과 먹을 걸 주니 잘 받아먹더구나. 골반 뼈가 부러진 것은 다음날 수술을 하기로 했단다. 그리고 나서가 문제지. 아빠 품에 들어온 이 조그만 하얀 개를 어떻게 하는 것이 좋을까?

아빠, 흰둥이 수술은 잘 됐어요?

흰둥이는 수술하고 6일째가 되니 조금씩 뒷발에 힘을 주더라고. 그 전날까지만 해도 앉아만 있고 움직일 생각을 하지 않았지. 밖에 꺼내 놓으면 앞발로만 열심히 쪼르르 다닐 뿐…. 기껏 애써서 엉덩이뼈가 부러진 것을 교정시켜놓았는데 신경이 손상된 것 아닌가 하는 생각도 들었어. 이렇게 걷지 못하면 다음에는 어떻게 하나? 휠체어를 만들어줘야 하나? 아니면 혹시라도 신경이 재생되기를 바라고 침 요법을 해봐야 하나, 이 생각 저 생각 많

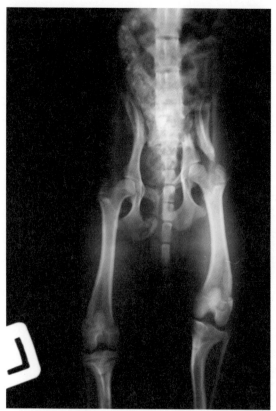

수술 전 흰둥이. 골반뼈가 부러져 있다.

이 들더구나. 하지만 가장 큰 고민은 걷지 못하는 개를 누구에게 보낼 수 있을까였어.

그런데 6일째 되는 날 흰둥이는 조금씩 뒷발에 힘을 주더라고. 뛰어갈 때에는 뒷발로 조금씩 보조를 맞추기도 하고 말이야. 다행히 신경이 손상받은 것은 아닌 것 같았어. 잠깐 뒷발에 힘을 주고 서다가 얼마 가지 못해 힘든지 주저앉기는 했지만 신경이 다치지 않은 것이 얼마나 감사했는지 몰라. 정상적인 보행을 위해서는 시간이 걸리겠지만 말이야.

수술 후 뒷다리에 힘이 생긴 흰둥이.

  흰둥이는 시간이 지나면서 걷는 것이 좀 더 자연스러워졌어. 이제 남은
문제는 그 아이를 어디로 보낼 것인가 그곳을 찾는 것이었지. 먼저 동물병
원에 오는 손님마다 붙잡고 흰둥이 이야기를 했어. 여차저차 해서 수술을
하게 되었고. 이제 어느 정도 걷게 되어서 돌봐줄 사람만 구하면 되는데 혹
시 주변에 키워줄 사람 없냐고 말이야. 그렇게 열흘 가량 손님들에게 이야
기했을까? 동물병원 손님 중에 아는 사람이 흰둥이 사연을 듣고서 자신이
키우겠다는 분이 계셔서 그분이 입양해갔단다. 참 다행이었지.

2
유기동물에 대한 연민의 손길

길고양이 별이가 백합꽃처럼 피어나기까지

아빠, 흰둥이가 건강해져서 정말 다행이에요. 그런데 사람들은 어째서 길 잃고 몸까지 아픈 흰둥이를 외면했을까요? 자신이 키우던 동물을 버리는 사람들도 있는 마당에, 유기동물의 치료비가 부담스러웠던 걸까요? 아니면 아픈 동물을 외면할 만큼 마음이 각박해진 걸까요?

리준아, 동물병원에서 일하다보면 네가 질문한 것처럼 사람들에게 실망할 때도 있지만, 또 정반대로 아프고 길 잃은 동물에 대해 따스한 연민을 갖고 있는 사람들을 만날 때에는 힘을 얻기도 해.

어느 날 아주머니 한 분이 하얀 고양이 한 마리를 데리고 오셨어. 터키쉬 앙고라라는 종이었지. 아파트에 돌아다니던 고양이인데 집이 없는지 아주머니를 간절한 눈빛으로 계속 힘겹게 따라오더라는 거야. 그런데 잘 일어서지도 못하고 밥도 먹지 않아서 어디가 아픈지 보려고 동물병원에 데리고 온 거였어.

　고양이를 입원시켜 기본적인 검사를 하고 영양주사와 치료를 하니 이틀이 지나 사료를 먹기 시작했지. 그런데 누워만 있을 때는 몰랐는데 일어나서 걷는 것을 보니 머리를 한쪽으로 갸우뚱한 채로 발걸음도 한쪽으로 치우쳐서 걷는 거야. 하얀 고양이는 TNR을 한 표시로 왼쪽 귀 끝이 약간 잘려 있었는데 외이염 때문에 귀에서 고름도 나오고 왼쪽 눈도 약간 감겨 있는 상태였어. TNR은 Trap(포획)-Neute(중성화)-Return(돌려보내기)의 약자로 길에 사는 고양이들이 발정이 나서 울어 사람들에게 불편을 야기하거나 새끼 고양이를 계속 나아 개체수가 증가하는 문제를 해결하기 위하여, 포획을 한 후 중성화 수술을 시켜서 다시 살던 곳으로 돌려보내는 프로그램을 말한단다.

　척추를 다쳐서 신경이 손상되어 기우뚱하게 걷나 하고 엑스레이 촬영을 해보았지만 별 특이한 소견을 찾지 못했어. 그래서 더 정확한 원인을 찾기 위해 뇌나 다른 곳의 신경 손상이 있는지 MRI 검사를 받을 필요가 있었어. 사람도 그렇지만 동물 또한 요즘은 건강 검사에 여러 첨단 장비들이 이용되고 있는데, 문제는 역시 비용이 매우 비싸다는 거야. 길거리의 고양이가 불쌍해 보인다는 이유 하나 때문에 데려온 아주머니가 모두 감당하기에는 부담스러운 금액이었지. 아빠가 진료비를 할인해줬다고 하더라도 이미 이런 저런 표시나지 않는 비용을 지불했는데 거기에 MRI 검사 비용까지 추가로 내기에는 금액이 너무 컸지. 그래서 어떻게 하실지 물어보니 할 수 있는 데까지 해주겠다는 거야. 아주머니가 그렇게까지 하시겠다는데 뭐 도와줄 수 있는 방법이 없을까 하고 동물보호시민단체 KARA(대표 임순례 감독)에 물어보았어. 이런 저런 사정이 있는 고양이가 있는데 진료비를 도와줄 수 있겠냐고 말이야. 그랬더니 흔쾌히 지원을 해주었어. 동물보호단체라는 곳

처음 병원을 찾았을 때 별이.

이 금전적으로 여유가 많은 곳은 아니란다. 학대받거나 버려진 동물들이 많고 챙겨야 할 곳이 많기 때문에 회원들이 후원하는 5,000원, 1만 원의 회비로는 동물보호단체도 힘들게 유지되기는 마찬가지거든. 그럼에도 불구하고 아픈 고양이를 치료해야 하기 때문에 지원을 해준 거지. 길에서 고통받는 고양이를 데려오신 아주머니도 그렇고 KARA도 고마운 분들이야.

MRI 촬영 결과 뇌에는 문제가 없는데 왼쪽 귀에 중이염이 심한 것으로 나왔어. 그 염증으로 인해 몸의 균형을 잡아주는 쇠반고리라고 불리는 정전기관이 손상을 받아 걸음걸이가 이상하게 보였던 거였어. 중이염을 치료하기 위하여 아주머니는 별이를(아주머니는 고양이를 별이라고 불렀어) 2차 진료 동물병원에 데리고 갔지만 그곳에서는 수술이 어렵겠다고 하여 다시 서울대학교 부설 동물병원까지 데려가셨지. 처음에 서울대 동물병원을 갈 때의 목표는 수술을 하는 것이었는데, 검진 결과 이미 염증반응이 진행되었고 그동안 항생제 처치를 하여 더 이상 진행되는 것 같지는 않아 보인다며 약물치료를 하면서 지켜보자고 하는 거야. 그래서 일단 보름간 약물치료를 받았지. 그리고 몇 차례에 걸쳐 서울대 동물병원에 재진을 받으러 아주머니가 데리고 갔다 와야 했어. 아주머니도 일을 하시는 분이었는데 자신의 업무가 있는 사람이 바쁜 시간을 쪼개어 유기동물을 데리고 왔다 갔다 하는 것이 쉬운 일이 아니야. 참 대단하신 분이라는 생각이 들었고, 또 감사했지. 세상이 각박하다고들 하지만 이런 선의들을 보면 그래도 아직 세상은 곳곳에 아름다운 사람들이 숨어 있다는 생각을 하게 된단다.

서울대 재진 결과는 중이염의 상태가 약물치료로 많이 좋아졌다고 했지. 하지만 머리가 옆으로 기우뚱하고 걸음걸이가 약간 삐뚤어져 보이는 것은 이미 신경이 손상을 받은 상태이기 때문에 어찌할 수 없다고 했어. 지금의 상태가 더 진행되지 않게 돌봐주고 영양상태가 나빠지지 않게 잘 챙겨 먹이고 관리를 잘 해주면 큰 문제는 없다는 거야.

이렇게 동물병원에서의 치료는 끝이 났지만 이제 정말 중요한 일이 남았지. 이 고양이를 어떻게 하느냐, 하는 문제 말이야. 몸이 불편한 아이를 다시 길거리로 내보내는 것은 죽으라고 내모는 것과 마찬가지기 때문에 안 될 일이지. 그래서 누군가 돌봐주실 분을 찾아야만 했단다.

별이가 동물병원에 온 지 한 달이 조금 지난 시점이었어. 별이는 사람을 무척 잘 따랐거든. 몸이 조금 불편하기는 하지만 의자나 계단을 오르내리는 것은 전혀 불편이 없고 자기가 알아서 사료도 잘 찾아 먹었단다. 그리고 어릴 적에 키우던 사람에게서 음식을 받아먹었는지 사람들이 식사를 하면 자기도 달라고 야옹거렸지. 그래서 동물병원 식구들은 별이를 '개냥이'라고 불렀어.

별이는 바이러스성 전염병 검사와 혈액 검사 결과도 문제가 없이 건강한 상태였고 데려올 때 이미 TNR이 되어 있었지. TNR을 했다는 것은 암컷 고양이인 별이가 발정이 나서 우는 문제로 가정에서 키우는 데에 전혀 지장을 주지 않는다는 의미지. 물론 새끼를 낳을 수는 없지만 말이야.

시간이 지나면서 별이는 차츰차츰 증세가 호전되었어. 그리고 별이를 입양 보내기 위해서 지난번에 흰둥이를 입양 보냈던 것처럼 동물병원에 오는 손님마다 붙잡고 별이의 사정 이야기를 했어. 주변에 고양이를 키울 수 있는 분이 있으면 소개해달라고 말이야. 그러다 보니 또 좋은 분을 만나서 입양이 되었단다. 그리고 두 달 후 별이를 입양하신 분이 별이를 데리고 사료를 구입하기 위하여 동물병원에 내원을 했어. 그런데 별이의 모습은 너무나 달라져 있었어. 입양 갈 당시만 해도 한쪽 눈이 약간 게슴츠레하고 왠지 심리적인 상태도 위축된 것처럼 보였는데 두 달 만에 본 별이는 활짝 피어난 백합꽃 같았지. 동공도 훨씬 커졌고 눈빛은 반짝거리는 보석 오팔 같았어.

너무나 예뻐진 별이의 모습을 보니 처음 동물병원에 왔을 때의 모습이 떠올랐어. 주차장에서 돌아다니며 얻어먹지도 못해 털은 흙투성이였고 비쩍 마른 상태에 걷지도 못하고 비틀거리는 상태였지. 아마도 그 아주머니가 구조하지 않았다면 별이는 그렇게 아무도 모르는 곳에서 이 세상을 떠났을지도 몰라. 아주머니께서 별이를 완쾌시켜야 한다는 열의를 보였기에

입양된 후 두 달만에 동물병원을 찾은 별이.

다른 이들의 호의를 이끌어낼 수 있었다고 생각해. 덕분에 아무도 모르는 곳에서 죽어갔을지도 모르는 길고양이 한 마리는 치료를 받을 수 있었고 몇 달이 지나고 백합과 같이 예쁜 모습으로 피어난 거지.

사람들은 요즘 세상이 너무나 메마르고 각박하다고 이야기를 하지. 그 이야기가 틀린 것만은 아니지만 별이의 경우를 보면 사람들의 마음속에는 여전히 아픈 생명에 대한 연민이 살아 있음을 느낄 수 있어. 너무 예뻐져서 몸에서 빛이 나는 것처럼 보이는 별이를 보며 여러 가지를 생각했단다. 그리고 별이를 돌봐주었던 여러분들에게 감사함에 가슴이 벅차올랐지. 살면서 느끼는 것은 '누군가에게 감사한 마음을 느낄 수 있게 되는 것' 이것이 정말로 행복한 일이라는 생각이 들어. 별이를 도와주신 분들을 생각하면 정말로 감사함을 느낀단다.

"별이를 구조하고 도와주신 여러분 정말로 고맙습니다."

3
유기동물의 입양 조건

탁구야 너 어떡하냐

아빠, 유기견 중에는 길을 잃은 개도 있지만 주인이 버린 경우도 있다면서요? 동물도 정이 들면 가족과 마찬가지인데, 어떻게 키우던 동물을 버릴 수 있을까요?

리준아, 아빠도 그렇게 생각한단다. 그런데 동물병원에서 일을 하다보면 그렇게 버리고 가는 동물들을 가끔 만나곤 해. 그런 일을 겪을 때마다 아빠는 의문이 들곤 하지. 과연 정말 키울 수 없는 이유라는 게 있을까? 아마도 핑계가 아닐까? 왜냐하면 정 키울 수 없는 상황이 되면 자신을 대신하여 돌봐줄 사람을 찾아보는 것이 순서지, 버리는 것은 무책임하다는 생각이 들어. 그것은 명백히 동물유기잖아.

그나마 모두가 그렇게 버리지 않으니 다행이라고 해야 하나? 이런 저런 사정으로 개를 키우지 못하게 되는 경우 어디 보낼 곳이 없냐고 먼저 문의를 해오지만, 동물병원이라고 해서 그렇게 버려지는 개를 해결할 뾰족한 방법이 있는 것은 아니란다. 동물병원에 오는 사람마다 붙잡고 사정을 해야 해. 또 데리고 있는 동안 사료를 주고 똥오줌을 치우고 털 손질도 해줘야 하지. 쉽게 말하면 번거로움과 수고가 엄청 들어가는 일인 거야.

어쩌면 동물병원에 키우던 개를 버리는 사람은 간단하게 생각할지도 몰라. 동물병원에 데려다놓았으니 잘해줄 거라며 자신의 행위를 위로하고, 그것으로 죄책감을 덜지도 모르지. 그러나 동물병원이 겪을 곤란함을 생각한다면 그 죄책감이 쉽게 사라질까? 다시 한 번 강조하고 싶단다. 동물병원은 아픈 동물을 치료하는 곳이지, 버려지는 동물을 처리하는 곳이 아니라고 말이야.

동물병원에 버린다 해도 동물을 버리는 건 버리는 거잖아요? 도대체 동물을 어떻게 동물병원에 버린다는 거죠? 그냥 슬쩍 놓고 도망가나요?

가장 황당했던 경우는 퀵 서비스로 가방 하나가 배달되었는데, 열어보니 아기 고양이가 들어 있었던 적이었어. 인근 재개발지역에서 발견한 새끼고양이라는데 자신은 사정이 있어서 돌볼 수 없으니 동물병원에서 잘 보살펴달라는 편지가 동봉되어 있었지. 수소문 끝에 그 고양이는 잘 키워줄 수 있는 사람을 찾아서 입양을 보낼 수 있어서 다행이었어. 하지만 이렇게 아기 고양이가 혼자 있다고 무작정 주워 오는 것은 한번 생각해 볼 문제야. 아기 고양이는 철없이 놀러 나왔다가 길을 잃었을 가능성이 높아. 그런 경우 보통은 어미 고양이도 새끼를 찾아다닐 가능성이 높아. 그러니 아기 고양이들이 혼자 있다고 냉큼 데려오는 것보다는 주변에 어미 고양이가 있는지 잘 살펴보는 것이 필요해.

반면 키우던 동물을 동물병원에 버리는 가장 흔한 방법은 보관을 한다고 맡기거나 애견미용을 한다고 맡겨놓고서 안 데리고 가는 거야. IMF 때 그런 경우가 정말 많았단다. 사람들이 먹고 살기 힘들어서인지 수시로 버리고 가는 일이 발생해서 머리가 아플 지경이었어. 다행히 최근에는 그런 경우가 거의 없었는데 오랫동안 너무 평온하게 지내온 걸까? 몇 년 만에 미용을 한다고 맡기고서 데려가지 않는 개가 생겼단다. 기다리다 기다리다 데려온 아저씨에게서 받은 핸드폰 번호로 연락을 해보니 그런 번호는 없는 번호라는구나. 맡긴 후에 며칠이 지나도록 연락이 없는 것을 보면 작정을 하고서 버린 것이겠지?

　동물보호법 제7조 동물학대금지 조항의 4항을 보면 "소유자 등은 동물을 유기하여서는 아니 된다."고 명시되어 있어. 이 개의 보호자는 동물보호법 제7조 4항을 위반한 거란다. 그런데 동물보호법에는 이 법을 어겼을 때 어떤 처벌을 받는지 정해져 있지 않은 것이 문제야. 법을 위반해도 아무런 처벌도 받지 않다니. 미흡하기 짝이 없는 법임을 알 수 있는 대목이지. 또 보호자의 예전 전화번호와 주소가 동물병원 차트에 기록으로 남아 있는 경우도 있지만, 그 주소에 진짜 살고 있는지, 만약 이사를 갔다면 어디로 갔는지 알 수 있는 방법이 없단다. 구청에 문의를 하면 구청도 개인정보를 열람할 수 있는 권한이 없으며 수사권도 없다고 하고 말이야. 그럼 어디에 의뢰를 해야 할까? 경찰에 수사를 의뢰하면 되는 것일까? 그 보호자를 찾아서 동물유기에 대한 처벌을 받게 할 수는 없는 것일까? 그래서 쉽게 개들을 버리지 못하게 선례로 삼게 할 수는 없을까? 이런 저런 생각을 해보게 된단다.

　어떻게 할까 고민을 하다가 이번에도 입양을 시키기로 했단다. 그런데 이럴 경우에는 입양에 조건이 있어. 간혹 동물병원에 아무 말도 없이 개를

주인에게 버려진 것을 알아버린 걸까? 탁구의 눈빛이 애처롭다.

버리고 가서는 3~4개월 정도 지난 후에 자기 개 내놓으라고 막무가내로 우기는 사람들이 있거든. 보관비를 줄 테니 자기 개 내놓으라는 거지. 만약 개가 없다고 하면 온갖 난리를 다 부리고 비싼 개라고 하면서 개 값으로 몇십만 원을 내놓으라고 우겨대는 거야. 그런데 잠시 기다리면 개를 데리고 오겠다고 하면 보관비 가지고 오겠다며 사라져서는 다시 오지 않기도 한단다. 설마 그런 일이 있겠냐 싶겠지만 실제로 가끔 그런 일이 있기 때문에 예방적 차원에서 알 수 없는 곳으로 보내면 절대로 안 되고, 또 그럴 일은 없겠지만 원래 주인이 찾으러 오면 돌려줘야 한다는 조건으로 입양을 보낸단다.

이번에 버려진 개는 말티스라는 종이야. 버린 사람이 이름을 '탁구'라고 불렀는데 정말 그 이름이 맞는지는 알 수가 없어. 연령은 5개월 정도로 추정이 돼. 아직 어린 강아지지. 몸무게는 2.5kg에 수컷이었어. 성격도 매우 발랄하고 장난을 좋아하는 강아지였지. 좀 짖는 경향이 있지만 그것은 교육을 시키면 해결할 수 있어. 잠깐 동안 '앉아' 교육을 시켰는데 금방 교육이 되고 또 화장실을 가르쳐주지 않았는데도 자기가 알아서 화장실에 가서 볼 일을 보는 영특한 아이였단다. 보통 개들은 동물병원에 오면 사료를 줘도 긴장하고 있기 때문에 잘 안 먹는데 탁구는 사료도 주는 대로 잘 먹는 건강한 강아지였어.

입양조건은 앞에서 말한 것처럼 그럴 일은 거의 없지만 추후에 원래 주인이 찾으러 오면 돌려주어야 하고 미용사가 2시간 넘게 애견미용이라는 노동을 했으니 그 노동의 비용은 지불해야 하는 것이었어. 또 5개월 된 수컷이기 때문에 조만간 집안 곳곳에 오줌의 흔적을 남기는 등 성적인 문제를 일으키게 될 거야. 이를 방지하기 위해서도 그렇고 아파트와 같은 공간에서 수컷을 키우기 위해서는 여러 가지 이유로 반드시 중성화수술이 필요하단다. 그렇지 않은 경우 얼마 있지 않아서 도저히 집에서 키울 수 없다는 이유가 되기도 하니까 말이야. 또다시 버려지는 것을 방지하기 위해서라도 중성화수술을 한다는 조건이 필요한 셈이지.

그 후 탁구는 좋은 분을 만나서 입양이 되었단다. 아빠 블로그 글을 보고 탁구를 입양하겠다고 온 분은 아드님과 함께 와서 데려갔는데 잘 돌봐주실 것 같은 확신이 들었지.

4

늙고 병든 개를 버리는 사람들

동물병원 앞에 웬 감자상자

아빠, 탁구는 버려졌지만 꽤 귀여운 강아지라서 비교적 쉽게 좋은 주인을 만날 수 있었던 것 같아요. 만약에 탁구가 병들고 늙은 개였다면 어떻게 되었을까요?

리준아, 그런 경우도 있었단다. 출근을 하니 동물병원 문 앞에 웬 감자상자 하나가 놓여 있더구나. 누가 가져다 놓은 것인지도 모르는 박스 하나. 동물병원에 있으면서 이런 경험은 숱하게 해본 것 같구나. 아침 출근길에 동물병원 문 앞에서 마주하게 되는 감자박스나 사과박스, 배박스, 라면박스…. 박스 안에는 도대체 뭐가 들어 있을까?

박스에 귀를 기울이니 박스 안에서 잦은 기침소리가 나더구나. 노령성 심장질환이 있는 개에게서 나는 기침소리지. 박스의 끈을 약간 느슨하게 하니 하얀 말티스 종이 얼굴을 내밀며 몹시 불안한 눈빛으로 아빠 얼굴을

감자상자에 넣어 동물병원에 버려진 개.

빤히 쳐다보는 거야.

　도대체 나보고 어쩌라는 거지?

　어리거나 건강한 개 같으면 조금 수고스러워도 입양 보낼 곳을 찾아본
다고 하지만 이렇게 나이가 들고 병든 개는 입양 보낼 곳을 수소문할 방법
이 없단다. 안타까운 일이지. 어느 누가 늙고 병든 개를 병수발 하겠다고
데려가겠냐 말이야. 동물병원이 늙은 개들 고려장 하는 장소도 아니고 이
렇게 막무가내로 동물병원 앞에 갖다 버리면 동물병원에서 어쩌라는 것일
까?

　그렇다고 늙고 병든 개를 동물병원에서 죽을 때까지 모시고 있을 수도
없잖니. 동물병원에서는 동물보호소라는 곳으로 유기견 신고를 하도록 되
어 있단다. 그럼 새로운 주인을 찾거나, 그렇지 않으면 보통 10일 정도 지
나 안락사 되고 말아. 저렇게 눈을 동글동글 뜨고 있는 살아 있는 생명을 죽

출근길, 동물병원 앞에 놓인 상자는 반갑지 않다.

음의 장소로 보내야 한다니 마음이 착잡해지지 않을 수 없단다. 자기가 하기 싫은 일은 남도 하기 싫은 법인데…. 도대체 누구일까? 오랫동안 같이 살았을 텐데, 그럼 정도 많이 들었을 텐데, 그 생명을 감당하지 못하고 누가 이렇게 갖다 버렸을까. 여러 가지 생각으로 마음이 심란해지는 날이었단다.

작은 생명조차 거두지 못하는 그 삶이 너무나 가여운 생각이 들고, 그 삶이나 버려진 개 하나 받고서 심란해 하는 아빠나 그다지 다를 것이 없어 보인다는 생각이 들었지. 여튼 자신이 감당해야 할 부분을 타인에게 떠넘겨 버리는, 그렇게 제 몫을 감당하지 못하는 삶이 너무나 안쓰럽고, 나도 안쓰러워지는 날이었어. 그런 날은 세상의 모든 가련한 삶들의 평화를 빌게 된단다.

5

유기동물 방지책

동물등록제 덕분에 짱이가 집을 찾았어요

아빠, 유기동물 중에는 버린 경우도 있지만, 때로는 길을 잃어서 유기동물이 될 수도 있잖아요? 그럴 때 빨리 찾을 수 있도록 준비해놓을 수 있는 방법은 뭐가 있을까요?

리준아, 언젠가 동물병원 손님이 아파트 단지에 개가 한 마리 떠돌아다닌다며 데려왔단다. 개는 사람을 잘 따랐고 전체적인 상태도 깨끗했어. 그리고 털도 미용을 해서 잘 정리되어 있는 상태였지. 여러 가지를 고려했을 때 이 개는 키우던 집에서 관리를 받고 사랑을 받던 개가 틀림없었지.

하지만 개만 봐서는 보호자가 누구인지 알 수가 없었어. 사람 같으면 어디에 사는 누구냐고 물어보기라도 하겠지만 개는 물어볼 수도 없잖니. 그럴 때 정말 도움이 되는 것이 동물등록제란다. 2013년도부터 시행되고 있는 동물등록제는 동물의 정보를 기록하고 반려동물에게 인식표를 착용하

집을 잃어 불안에 떨고 있는 짱이와 주인 품에 안긴 짱이.

도록 하고 있단다. 하지만 많은 보호자들이 귀찮아서인지 실제로 시행이
잘 되지 않고 있단다. 집을 잃은 시츄 또한 그냥 봐서는 누구네 개인지 알
수 있는 방법은 전혀 없었어. 특징적으로 어떤 옷이나 목걸이 또는 장식품
을 하고 있는 것도 없었기 때문에 이런 경우 보호자를 찾기는 정말 힘들어.

그래도 혹시나 하는 생각에 마이크로칩 리더기로 개를 스캔해보았는데
정말 다행스럽게도 동물등록을 한 개였단다. 동물등록 데이터뱅크를 검색
해보니 이름은 '짱이' 였어. 성동구에서 등록을 한 개이므로 집이 멀지 않
은 곳이었지. 동물 보호자의 인적사항은 구청의 담당부서에 연락해봐야 알
수 있는데 늦은 저녁시간이어서 다음날 아침에 구청에 전화를 하여 보호자
에게 알려달라고 했단다.

얼마 지나지 않아 보호자가 왔어. 전날 저녁에 잠깐 문을 열어놓았는데
그 사이에 나간 모양이라고 하더구나. 밤새 동네를 헤매었는데도 찾지를
못했대. 다행히 동물등록을 했기 때문에 쉽게 찾을 수 있었던 거지. 보호자
를 다시 만난 반가움에 정신을 못 차리는 짱이를 보고 있자니 왠지 기분이

좋더구나.

동물등록제에 참여하면 이렇게 말 못하는 동물을 잃어버려도 쉽게 찾을 수 있는데 왜 참여를 잘 안해요?

동물등록제는 2013년 1월 1일부터 전국적으로 실시되었어. 시행 이유는 크게 두 가지야. 첫째는 동물 유기 방지이고 둘째는 잃어버린 개를 찾는 데 도움이 되기 위해서지. 동물등록제를 국가적으로 시행하는 이유는 사람들이 동물을 너무 쉽게 버리기 때문이란다. 사람들은 어제까지만 해도 예쁘다며 키우던 개를 사정이 생기면 너무 쉽게 버리곤 하지. 동물을 쉽게 버릴 수 없다고 한다면 키우기 전에 죽을 때까지 돌볼 수 있을지 깊이 고민해보고 키우겠지. 만약 죽을 때까지 돌볼 자신이 없다면 시작하지 않을 테고 말이야.

이러한 동물등록제의 참여도가 낮은 이유는 여러 가지가 있겠지만, 그중 하나는 뿌리 깊게 자리 잡고 있는 보신탕 문화를 들 수 있단다. 반려견 중에는 집 안에서 키우는 소형견도 있지만 마당에서 키우고 있는 개들도 많아. 이렇게 마당에서 키우는 개 중에는 키우다가 보신탕용으로 팔려는 개들도 적지 않지. 조금 키우다가 팔아먹을 건데 뭐 하러 등록을 하냐는 거지. 또 강아지를 양계장의 공장식 축산과 같은 형태로 생산하는 곳도 있단다. 그런 곳을 번식장 또는 퍼피 밀이라고 하는데 그런 곳에는 좁은 개장에 어미 개들을 가두어 사육하면서 6개월 간격으로 생리를 할 때마다 새끼를 낳게 한단다. 그러다보면 어미 개는 몸이 금방 망가지고, 그래서 새끼를 낳지 못하게 되면 모두 보신탕용으로 팔아버린다는 거야. 그러니 그런 개들에게 돈을 들여서 동물등록을 할 이유가 없다는 거지.

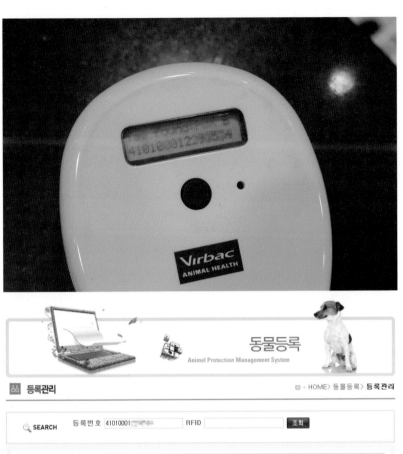

등록번호	41010001		RIFD_CD	41010001
계이름	짱이		성별	암컷
품종	시츄		중성화여부	미중성
관할기관	서울특별시 성동구		관할기관연락처	02-2286-6146

내장된 마이크로칩 정보로 동물등록 홈페이지에서 검색하여 보호자를 찾을 수 있었다.

그리고 또 다른 큰 이유는 내장형 마이크로칩에 대한 불안감이 있기 때문이란다. 지금 동물등록제는 마이크로칩을 내장하는 방식과 목걸이 방식 그리고 인식표만 다는 방식으로 진행하고 있어. 그런데 마이크로칩을 내장하는 방식 외에 목걸이 방식은 유기견 방지에 전혀 도움이 되지 않아. 보호자가 버려야겠다고 작정하고 목걸이만 떼고 버리면 그 개가 누구네 개인지 전혀 알 수가 없기 때문이야. 그러기에 동물등록제는 반드시 마이크로칩 내장 형태로 실시되어야 한다고 생각해.

또 목걸이형은 유기동물 방지에도 효과가 없지만 잃어버린 개를 찾는데도 그다지 도움이 되지 못해. 길을 헤매고 다니는 개를 행인이 동물병원으로 데리고 오는 경우 대부분의 개들은 목걸이를 하고 있지 않아. 동물등록이 된 정보가 담긴 목걸이는 집 밖을 나올 때만 채우고 보통의 경우 집 안에 있을 때는 채우고 있지 않거든. 그런데 개들은 보호자가 부주의하게 잠깐 문을 열어놓은 틈을 타서 집을 나왔다가 집을 잃는 경우가 많아. 이럴 때 목걸이형 동물등록은 유실견을 찾는 데 전혀 도움이 못 되는 거지.

그런데 예전에 중국산 저가 내장형 마이크로칩이 부작용을 유발하는 등 문제가 생기자 목걸이 형태까지도 동물등록제 방식에 포함했단다. 영국소동물수의사회에서는 1996년부터 2009년까지 3,700만 마리의 등록된 반려동물로부터 마이크로칩 시술 부작용 발생 사례를 조사했는데, 그 결과 부작용은 0.0004%에 불과했대. 국내의 경우에도 인천, 경기, 제주 등 마이크로칩 시범 실시 지역에서 실시한 18만 201마리 중 마이크로칩의 이동이나 시술부위의 감염과 같은 부작용이 발생한 확률은 0.007%에 지나지 않았어. 이에 비하여 동물등록제를 시행한 이후에 유기견의 반환 비율은 증가했단다. 2010년 미국수의학협회에서도 마이크로칩 시술시 부작용으로 인한 동물의 위해가 있을 가능성은 매우 낮은 반면, 동물을 잃어버렸을 때 찾을 수 있는 가능성은 훨씬 크다고 강조했어. 또 국내의 예를 봐도 경기도 성남시에서는 2008년 10월부터 동물등록제를 시범 실시하였는데, 유기견 반환률이 시행 전 4.8%에 비하여 시행 후 각각 9.9%(2009년)와 16.7%(2010년)로 증가한 것으로 보고되었어. 이와 같이 마이크로칩 삽입은 실제로 유발하는 부작용은 적고 유기동물 방지책으로는 큰 효과를 가지고 있단다.

그렇다면 마이크로칩의 품질을 향상시키고 철저히 감독하여 부작용에 대한 우려를 불식시키는 것이 필요하다고 생각해. 하지만 인터넷에 떠다니는 부작용에 대한 과장된 정보로 인한 네티즌의 우려를 받아들여 목걸이 형태의 동물 등록 방식을 받아들임으로 인해 보호자들에게 마이크로칩에 대한 우려와 거부감을 키운 측면이 없지 않아. 그래서 수의사회나 동물보호단체들은 동물등록제의 필요성과 마이크로칩의 안정성에 대한 홍보를 강화하여 동물등록제는 반드시 마이크로칩을 내장하는 방식으로 실시되어야 한다고 주장하고 있어.

동물등록제를 시행한 덕분에 집을 잃었던 짱이는 보호자를 다시 만날 수 있었지. 동물등록제는 동물의 유실을 막아서 소중한 생명이 10여 일 만에 죽임을 당하는 것을 예방할 수 있는 방법이라 할 수 있단다.

6
반려동물을 키우는 자세

강아지는 장난감이 아닙니다

아빠, 사람들이 반려동물 키우기를 너무 쉽게 여기는 것은 아닌가 하는 생각이 들어요.

리준아, 안 그런 사람도 많겠지만, 네 말대로 반려동물 키우기를 너무 쉽게 생각하는 사람들도 적지 않단다. 강아지를 분양받기 원하는 경우를 보면 대부분 아이들이 일방적으로 원해서일 때가 많아. 부모는 여러 가지 일로 바쁘고 강아지에게 신경쓸 시간이 없는데 아이가 너무나 원하기 때문에 마지못해 사주는 거지. 물론 강아지는 아이들의 친구가 되어주기 때문에 아이의 정서에 매우 좋아. 하지만 강아지는 그렇게 아이들에게 선물이라는 생각으로 사주고 말 존재가 아니란다.

강아지는 살아 있는 생명이야. 주변 환경의 영향을 많이 받으면서 자라는 생명이지. 아이들을 키우기 위해서는 그냥 먹을 것만 준다고 알아서 크

길을 잃거나 주인에게 버려진 개의 눈빛들. 강아지 분양 시 아이가 조른다고 하더라도 어른은 강아지가 죽을 때까지 책임질 수 있는지 생각해보고 결정해야 한다.

는 것이 아니잖니. 이것저것 가르쳐야 하고, 한 인간으로서 사회에 나가 자기 몫을 하면서 건강하게 살 수 있도록 보살피는 것이 필요한 거지. 강아지도 마찬가지야. 사람에게 사춘기가 있듯이 강아지에게도 사춘기라는 것이 있어. 그 사춘기 이전에 기본적인 교육을 시켜야 강아지와 사람이 한 집에서 조화를 이루면서 살 수 있단다. 그렇지 못한 경우 강아지가 다 컸을 때여러 가지 문제가 발생할 수 있어. 너무 짖거나, 대소변을 가리지 못하거나,

사람을 물려고 하거나, 자기가 먹고 싶은 것만 먹으려고 한다거나, 사람이 없으면 하루 종일 울거나, 또 다른 개를 보거나 낯선 사람을 보면 너무 긴장하거나 공격하려는 등 문제를 보일 수 있어. 그래서 강아지에게 기본적인 훈련과 사회화 교육이 필요한 거야. 그런데 그런 교육은 어린아이들이 해줄 수 없거든. 어른들의 몫이란다.

기본적인 교육과 관리가 되지 않아 문제 행동을 하기 시작하면 어디 보낼 곳을 찾거나 화장실이나 베란다에 가두어서 키우는 경우도 있어. 심한 경우 길에 버리기도 하지. 하지만 그래서는 안 되는 거잖니.

아이들이 너무나 원하기 때문에 금전적으로나 시간적으로 부담이 되더라도 강아지를 사주게 되지만 부모들은 한 번 더 생각을 해봐야 해. 강아지는 장난감이 아니야. 처음 샀을 때는 좋아서 한참을 가지고 놀다가 시간이 지나면 시들해져서 구석에 처박아두거나 버려도 되는 장난감이 아니야. 강아지가 어릴 때는 예쁘니까 좋아하다가 커가면서 어릴 때 예쁜 모습이 사라지면 관심이 떨어질 수 있어.

최근 수의학의 발달과 영양공급이 풍족해지면서 개의 건강을 지속적으로 관리하면 16년 정도는 건강하게 살아. 오래 사는 경우 19년까지 살기도 해. 강아지를 구입할 때에는 이렇게 늙어서 죽을 때까지 오랜 시간을 돌봐줄 수 있는가를 깊이 생각해야 한단다. 어릴 때는 예뻐서 키우다가 몸집이 커지고 싫증이 나거나 여러 문제가 생기면 버려지는 개가 너무 많아.

유기견 문제가 또 하나의 사회 문제가 되고 그것을 관리하느라 막대한 세금이 쓰이고 있어. 이렇게 개들이 버려지는 것을 막기 위해 동물등록제를 시행하여 버려지는 것을 근원적으로 차단하려고 하고 있단다. 하지만 이렇게 법에 의해 강제되어지기 때문이 아니라 강아지를 키우는 것에 대해 보다 성숙된 생각이 필요해.

강아지는 아이가 너무 조르니까 그냥 사줘보자, 하는 식으로 구입해서
는 절대로 안 돼. 아이가 조른다고 하더라도 어른은 강아지가 죽을 때까지
책임질 수 있는가를 생각해보고 결정을 해야 한단다. 아이가 때를 쓰니까
장난감 사주듯이 사주는 것이 아니라 아이에게 15~16년 간의 친구를 만들
어준다고 생각하고 구입해야만 해. 그렇게 오랜 동안 친구로서 건강하고
좋은 관계를 갖게 하기 위하여 시간을 내고 기본적인 교육과 관리를 해낼
마음가짐과 실천이 있어야 돼. 그렇게 했을 때 아이는 강아지와 함께 많은
시간을 같이 하며 즐거움과 정서적인 안정을 얻을 수 있단다. 투자한 시간
이나 금액보다 훨씬 더 많은 기쁨과 행복을 느낄 수 있지. 또 개가 나이가
들면 병이 들거나 늙어서 죽어가는 과정 또한 보게 될 거야. 그러한 순간들
이 닥치면 가슴이 아프고 슬프겠지만 시간이 지나면 나름의 소중한 경험이
된단다. 인생은 기쁨만으로 풍요로워지는 것이 아니라 생로병사, 희노애락
이 모여서 풍요로워지는 것이거든.

　그러기에 강아지를 분양받아 키워보려고 한다면 다시 한 번 생각을 깊
이 해봐야만 해. 내가 그 조그만 생명을 한평생 책임질 수 있는지를 말이
야. 이제 강아지는 내가 예뻐해주기만 하는 애완동물이 아니라 가족으로
함께 살아가는 반려동물이기 때문이란다.

7

커다란 개 입양시키기

가족처럼 지낸다는 것의 기준

아빠, 반려동물을 키울 때 버리지 않고 함께 살아가는 것도 중요하지만, 가족처럼 함께 살아간다는 말이 인상적이에요. 가족처럼 대한다는 게 어떤 건지 알면서도 동물이라는 의식 때문에 나도 모르게 잘못 대하는 경우도 있을 것 같아요.

그래, 네 말대로 잘 대해준다고 생각하지만, 때로는 그것이 동물에게는 일종의 학대가 될 수도 있어. 예전에 아빠 동물병원에 꼬랭이라는 유기견이 잠시 머문 적이 있었단다. 꼬랭이는 동물보호시민단체 KARA에서 어느 공원에 돌아다니던 유기견을 데려온 개였어. 품종은 진돗개와 다른 무엇인가 섞인 것 같았지. KARA에서 데려올 때는 이름을 개나리라고 부르면서 데려왔는데 왜 개나리라고 불렀는지는 알 수가 없었어. 어차피 유기견이기 때문에 원래 이름은 알 수가 없는 거니까. 아빠는 단순해서 개의 이름들도 단순하게 부른단다. 하얀 개는 흰둥이고 검은 개는 검둥이고 누런 개는 누렁이라 불러. 그리고 하얀 털에 검은 점이 군데군데 있으면 점박이라고 부

덩치만 컸지 아직 강아지 티를 벗지 못한 꼬랭이.

르고 말이야. 예전에 동물병원에서 8년 정도 키우다가 늙어서 저 하늘나라로 간 시츄도 넙죽이라고 불렀지. 주는 대로 넙죽넙죽 잘 받아먹는다고 해서 말이야. KARA에서 데려온 개를 보니 꼬리가 너무 멋지게 말려 있는 거야. 그래서 우리 동물병원에서는 자연스레 '꼬랭이' 라 부르게 되었지.

꼬랭이는 암컷이었어. 심장사상충 검사를 비롯하여 기본적인 검사를 했는데 검사결과는 건강한 것으로 나왔고, 입양을 보내기 위해서 중성화수술도 했어. 간혹 사람들 중에는 새끼를 낳게 할 목적으로 유기견을 입양하기 때문이야. 그렇지 않아도 유기견이 너무 많고, 강아지를 낳아도 키워줄 좋은 사람을 찾기 어려운 게 우리나라의 현실이잖아. 그래서 유기견 증가 방지와 번식 목적의 입양을 못하도록 KARA에서는 구조한 개에게 반드시 중성화수술을 하고 있어.

꼬랭이는 덩치는 다 컸지만 아직도 강아지 티를 완전히 벗지 못했었지. 아니면 원래 천진난만한 것이었는지도 모르고. 보는 사람이나 개마다 같이 놀자고 달려들곤 했어. 그래서 처음 보는 사람들은 진돗개만한 큰 개가 달려드니까 무섭다고들 했지. 그래도 조금만 같이 있어보면 꼬랭이의 어리광에 다들 좋아했어. 덩치는 산만해도 강아지는 강아지였지.

꼬랭이는 조그만 강아지들에게도 놀자고 다가가는데 강아지들 입장에서는 당연히 부담스럽지. 스치기만 해도 사망이라는 우스개 소리처럼 슬쩍 부딪혀도 강아지는 휭하고 나가떨어지곤 했어. 또 강아지들을 장난감처럼 물거나 발로 가지고 놀고 싶어했어. 그러지 못하게 버릇 들이느라 약간 애를 먹었지만 기본적으로 순한 개여서 말을 잘 들었어.

좁은 동물병원에서 한 달 가까이 있으면서 가장 힘들었던 점은 가두어 놓으면 짖는다는 거야. 덩치가 있는 애를 가두어두니 갑갑했겠지만, 워낙에 갇혀 있는 것을 싫어하는 아이였지. 그래서 동물병원에 있는 동안 편안히 돌아다니게 풀어놓곤 했어. 꼬랭이가 순했기 때문에 그것도 가능했겠지. 다른 개를 물려고 하는 등 공격적인 반응을 보였다면 불가능했을 거야. 아무리 순하다고 해도 좁은 동물병원에 커다란 개를 언제까지고 데리고 있을 수는 없어서 오시는 손님마다 잘 키워주실 분이 없냐고 수소문했지. 그렇게 하여 손님을 통해서 천안에 있는 어느 집으로 입양을 가게 되었어.

하지만 입양 간 지 며칠 되지 않아 KARA에서 꼬랭이를 다시 데리고 오는 일이 벌어졌단다. 입양을 하신 분은 순한 개가 집이 없다고 하니까 불쌍해서 보통 시골에서 개를 키우듯이 묶어놓고 밥 먹이고 잠잘 자리 마련해주면 되겠지 생각하신 모양이야. 그런데 KARA에서는 입양 간 개들이 사람들과 행복하게 사는 것을 바라는데, 꼬랭이를 데려다주며 보니 집 입구의 허름한 개집에 짧은 개줄에 묶여 있는 개가 한 마리 있더래. 뜨거운 뙤약볕을 피할 그늘도 없고 말이야. 그런 식으로 꼬랭이도 짧은 개줄에 묶여 있을 것을 생각하니 너무 답답해서 다시 데려왔다는 거야.

사람마다 행복의 기준은 천차만별이지. 먹을 것이 없어 보릿고개를 겪던 시절에는 먹을 것만 준다면 남의 집 종살이도 마다하지 않았지만, 지금은 먹을 것 준다고 종살이를 하는 사람은 없을 거야. 행복의 기준은 상황에 따라 또 사람에 따라 다른 법이야. 사람도 먹고 살기 힘든데 집 없는 개에게 밥 먹여줄 집이 있으면 그거로 됐지 뭘 더 바라냐고 할지도 모르지만, 그게 기준의 차이지.

꼬랭이를 받아주신 분의 뜻은 선했지만, 평생을 짧은 줄에 매여 사는 것은 가족처럼 지내는 것과는 아무래도 거리가 멀지. KARA에서는 입양 가는 개들이 갇혀 있지 않고 몸을 자유롭게 움직일 수 있는 공간에서 키워지기를 바라고 있어. 또 시시때때로 산책을 하는 등 사람과 교감을 하면서 살 수 있기를 희망하지. 물론 그런 집을 찾는 것은 쉽지 않은 일이야. KARA에서는 이렇게 유기견을 잘 돌봐줄 사람을 늘 기다리고 있단다.

8

임신과 반려동물

토이는 아기와 함께 살 수 없을까

아빠, 사람들 중에는 아이를 낳으면 키우던 동물을 버리는 사람도 있다면서
요?

그렇단다. 동물병원에 있다 보면 흔히 받는 문의전화 중 하나가 집에서
키우고 있는 개가 있는데 어디 처분할 데가 없냐고 물어보는 거야. 예전에
는 애견센터와 동물병원을 구분하지 못해서인지 개 안 사냐고 물어보는
전화가 많았는데 요새는 그런 전화는 없어. 팔려고 그러는 것이 아니라 그
냥 줄 테니 키워줄 사람 없냐고 물어. 아빠 동물병원에서는 매매를 하지 않
기 때문에 개를 구하러 동물병원에 오는 사람이 없어서 어디로 보낼 곳을
찾는 것도 쉬운 일이 아니야. 그런데 키우던 개를 왜 다른 곳으로 보내야만
할까?

사연은 많은데 그중에 가장 많은 이유가 아기와 관련된 경우란다. 토이

도 그랬어. 토이는 12살 된 푸들 암컷이고 몸무게는 1.8kg으로 소형견에 속했단다. 요즈음 집에서 키우는 개들은 관리가 잘 되어 생존연령이 조금씩 길어지는 추세인데 그래도 12살이면 노령견에 속해. 앞으로 얼마나 더 살지 알 수 없는 일이지.

어느 날 보호자인 할머니로부터 전화가 왔어. 눈물 젖은 목소리로 토이를 안락사 시킬 수 없냐는 전화였지. 토이는 노부부가 자식을 모두 출가시키고 말동무삼아서 키우던 개였어. 개를 키워본 사람은 알겠지만 개는 사람과 많은 것을 정적으로 주고받아. 비록 사람이 먹을 것을 주고 키우는 형태이기는 하지만 단지 키워지기만 하는 것이 아니라 그 사람과 정을 쌓아간단다. 그래서 오랫동안 키운 개는 친구와 같아. 연세가 있는 분들에게 이러한 친구는 더없이 소중한 존재지. 그런데 왜 할머니는 토이를 안락사 시킬 생각을 한 것일까?

할머니의 아들네가 얼마 있으면 아기를 낳는다고 하셨어. 얼마나 경사로운 일이니? 아들 내외가 맞벌이를 하니 할머니에게 아기를 돌봐달라고 한 모양이야. 그런데 산부인과에서 개는 아기의 호흡기를 약화시키거나 알레르기를 유발할 수 있으므로 안 좋다고 했다는 거야. 산모는 아기와 관해서는 모든 것에 민감할 수밖에 없단다. 그러한 이야기를 듣고는 아기에게 안 좋으니 토이를 어디로든 보내라고 했다는 거야. 토이는 오랫동안 집에서 관리를 잘해왔고 털도 안 날리니까 별문제 없을 거라고 해도 안 된다는 거야. 마지막에는 아들이 와서 개가 중요하냐 아기가 중요하냐고 하더래.

그래서 어쩔 수 없이 토이를 보낼 곳을 찾는데 그것이 쉬운 일이 아니야. 경제가 어려워져서 사람 먹고 살기도 힘들다고 하잖아. 개를 키우겠다고 생각하는 사람은 경제적인 부담을 질 생각을 하고서 시작하므로 큰 문제가 안 될 수도 있지만, 키울 생각이 없던 사람들에게는 과외 돈이 부담되지. 또 어린 강아지는 누가 봐도 예뻐서 키우고 싶어하고 키우다보면 정도 드는데 나이 든 개는 별로 예뻐 보이지도 않고 나이든 표시도 난단다. 경우에 따라서는 냄새가 나기도 하지. 거기에다가 어린 강아지는 누구든 잘 따르지만 나이든 개는 경계심이 강해져서 쉽게 정을 붙이지도 못해. 시간이 좀 필요하지. 이러한 이유들 때문에 나이든 개는 불쌍하니까 돌봐주겠다고 하는 사람이 나타나기 전까지는 쉽게 돌봐줄 사람을 구하기가 어려워. 그렇다고 늙을 때까지 사람에게 의지해서 자란 개를 길에 내놓는다는 것은 고생하다가 굶어 죽으라는 것과 다를 게 없지. 그러니 이러지도 저러지도 못하고 결국은 안락사까지 생각하게 된 것이었어.

아빠는 안락사는 극히 예외적인 경우를 제외하고는 실시하지 않아. 그래서 할머니에게 좀 더 보낼 만한 곳이 있는지 알아보시고 나중에 다시 이야기해보자고 했어. 한동안 전화가 오지 않아 궁금해서 전화를 해보니 어느 새댁이 토이가 불쌍하다고 돌봐주겠다고 했다는 거야. 새 주인을 만나기 전에 예쁘게 해서 보내겠다며 미용을 해서 털도 다듬었지. 나이는 들었지만 예쁜 편이었어. 그렇게 해서 새로운 집으로 갔는데 이틀 만에 돌아왔더구나. 개에게서 냄새가 나고 잠잘 때 숨소리가 거칠다는 거야. 나이가 많아지면 나타나는 자연적인 노령성 변화인데 그것을 옆에서 보고 듣고 있을 수 없었다는 거야. 토이는 이제 어떻게 될까?

토이의 경우와 같이 집안에 아기가 생긴다거나 결혼을 앞두었을 때 이런 문제로 많은 사람들이 상담을 하고 해답을 찾지 못해서 슬퍼하지. 결국 그 개는 어디론가 사라지는 경우가 많단다. 또 아이의 피부나 호흡기가 안 좋아서 내과, 피부과, 산부인과 등의 병원을 찾아가면 개가 원인이니 치우라고 한단다. 의사선생님들의 그러한 한마디에 작은 생명은 살 곳을 잃고 쫓겨나거나 경우에 따라서는 안락사를 당하기도 해. 의사선생님들은 자신이 그렇게 쉽게 하는 한마디에 한 생명이 죽음으로 내몰리는 것을 아는지 모르겠구나.

그런데 아빠, 진짜 함께 사는 동물이 아기의 피부나 호흡기에 그렇게 안 좋은 영향을 미치나요?

아기들에게 생기는 호흡기나 아토피의 문제가 오로지 반려견 때문이라고 생각지는 않아. 만약 그렇다면 개를 키우지 않는 집의 아기들은 호흡기와 아토피의 문제가 없어야 하는데 그렇지 않거든. 개를 키우지 않음에도 불구하고 현재 많은 아기들이 아토피나 천식과 같은 호흡기 등의 문제로 고생을 하고 있지. 너도 그렇고 언니를 비롯해서 주변의 아이들이 동물을 키우지 않는데도 아토피로 고생하는 것을 흔하게 본단다. 이것은 생활환경이나 먹는 것의 문제 또 공해와 같은 환경적인 요인 등 여러 가지 측면을 고려해야만 해. 그런데 그런 다양한 요인에 대한 고려보다는 개나 고양이가 아토피의 원인이라고 말해서 그 생명들을 죽음에 내몰리도록 하는 것이 바람직한 것인지 생각하게 되는구나.

반려견이나 고양이가 정말로 아토피의 원인일까도 생각을 해볼까? 오늘날 우리 주변에는 아토피를 앓는 사람들이 많아. 아토피가 급격히 증가한 것은 1980년대 이후란다. 그 전에는 아토피를 앓는 사람이 거의 없었어. 예전에 시골에서는 마당에 개도 키우고 고양이도 키우고 닭도 키우고 또 소, 돼지, 염소, 토끼 등 다양한 동물들을 많이 키웠어. 그리고 아이들은 그 동물들과 같이 뛰놀고 쓰다듬고 하면서 자랐지. 그런데 그렇게 자란 아이들은 아토피로 고생을 하지 않았어.

독일의 국립환경보건센터에서 개를 키우는 것이 아이의 아토피에 어떤 영향을 끼치는지 연구를 실시한 적이 있단다. 독일 국립환경보건센터는 3,000명 이상의 어린이를 대상으로 출생 때부터 6세까지의 건강 상태를 조사했는데 그 결과 가정에서 개를 키우는 경우 아이들이 꽃가루와 같이 천식이나 비염, 습진 등을 유발하는 성분에 대해 덜 민감한 것으로 나타났어. 다시 말해 같은 양의 알레르기 유발 인자에 노출되더라도 개를 키우지 않은 아이들보다 개를 키웠던 아이들이 천식에 걸릴 확률이 낮았다는 거야. 연구팀은 "어릴 때부터 개의 털에 노출된 아이들은 자연히 면역 체계를 강화시키게 된다"면서 "그 덕분에 먼지나 공해 등의 알레르기 유발 인자들에 대해 인체가 민감하게 반응하지 않는 것"이라고 설명했단다. 이밖에도 동물과 함께 자란 아이들이 아토피가 덜 발생한다는 많은 연구결과가 있어.

물론 동물이 아이들의 아토피에 부정적인 영향을 끼친다는 연구도 있지. 그렇다면 우리는 이러한 연구결과들을 어떻게 받아들여야 할까? 어떤 연구가 옳은지는 우리가 판단할 수 없지만, 아토피를 일으키니까 키우지 말라는 전문가의 말 한마디로 인해 작은 생명체가 죽음으로 내몰릴 수도 있는 것을 생각하면 좀 더 신중할 수는 없는지 안타까운 생각이 든단다. 외국의 산부인과나 소아과의 경우를 보면 동물의 털이 아기에게 아토피를 유발시킬 수도 있으니까 털이 날리지 않도록 관리를 잘해주라고 하지 다른 데 보내라고 하진 않거든. 생명과 관련된 문제는 심각하게 고민을 해봐야할 거야. 문제는 동물이라고 너무 쉽게 이야기하는 것이 아닐까 하는 생각도 들어.

9
강아지 사회화 교육

대소변을 못 가리는 등 문제 행동의 경우

아빠 또 개들이 버려지는 이유 중에 어떤 것들이 있어요? 우리 집에서 키우고 있
는 찌루도 대소변을 가리지 못한다고 버려진 개였잖아요. 그런 개들이 많아요?

개들이 버려지는 이유는 여러 가지가 있겠지만, 그중에 많은 경우가 행
동에 문제가 있어서란다. 가령 찌루처럼 대소변을 가리지 못한다거나, 보호
자를 문다거나 또는 너무 짖어서 주변 이웃에게 불편을 끼치는 등 도저히
더 이상 키울 수 없다며 어디 보낼 곳이 없냐고 동물병원에 상담을 해오지.
　이런 경우 보호자들은 개의 성질에 문제가 있어서 도저히 키울 수가 없
다고 이야기를 해. 하지만 사실은 개의 문제라기보다는 보호자의 개에 대
한 무지가 문제를 키웠다고 볼 수 있어. 그런데 사람들은 자신이 개의 성격
형성에 어떤 부정적인 영향을 끼쳤는지 모르는 경우가 대부분이야. 그냥
개에게 잘해준다고 해줬는데 개가 문제라고 생각을 하는 거지. 이렇게 문

제의 개가 되지 않게 하려면 개를 어릴 적부터 잘 교육시켜야 해. 교육은 사람뿐만 아니라 개에게도 무척 중요한 거란다.

우리는 인간을 사회적 동물이라고 이야기하잖아. 우리는 다양한 교육을 통해서 다른 사람들과 어떻게 관계를 맺어야 하고, 또 사회에서 독립된 인격체로 살 수 있는 방법을 배우게 되지. 그런데 이런 사회적 동물은 인간만이 아니야. 많은 동물들이 사회를 이루는 동물이고 개도 마찬가지야. 그렇기에 개도 사회화 교육이 필요하단다.

예전에 마당이 있고 개들이 골목을 다니며 다른 개들과 어울리던 때에는 그다지 문제가 되지 않았어. 개들은 다른 개들과 어울리면서 사회화가 자연스럽게 되었거든. 문제는 사람들이 핵가족화되어 주거 공간이 아파트나 단독주택으로 한정되면서 개들이 사회화의 기회를 잃었다는 점이야. 다른 개랑 놀고 싶을 때에는 어떻게 하는지, 어떤 상황이 무섭고 어떤 상황은 별로 무섭지 않은 상황인지, 영역표시는 어떻게 하는지 이것저것 자연스럽게 배울 수 있는 환경이 없어진 거야. 또 예전에는 개는 마당에서 자고 사람은 집 안에서 자면서 공간 구분이 확실했지. 그러던 것이 아파트라는 공간에서 살게 되면서 문제가 심각해졌단다. 동물병원에 보호자분들이 와서 흔히 하는 이야기가 집에서 키우는 개가 자기가 사람인 줄 착각한다는 거야. 그런데 그런 증상은 그 개뿐만이 아니야. 많은 개들이 자기가 사람인 줄 알아. 왜냐하면 사람하고만 지내면서 사람과 똑같이 사회화가 되었기 때문이지. 그래서 이런 저런 문제도 생기는 거고.

그럼 아빠 이 사회화 문제를 어떻게 풀어야 하나요?

방법은 개에게 제대로 사회화 교육을 시키는 거란다. 예전에 마당이 있

'앉아' '기다려' 훈련을 시키는 중. 기본적인 복종훈련과 다른 개들과 어울리는 사회화 교육은 건강한 관계를 맺기 위해 꼭 필요한 과정이다.

는 집에서 어미 개나 다른 개들로부터 보고 배웠다면 이제는 보호자가 그 역할을 해줘야 해. 그러기 위해서는 먼저 개에게 어떤 사회화 교육이 필요한지 보호자가 알아야 하겠지. 예전 70~80년대에 마당에서 개를 키웠던 것을 생각하고 개들이 알아서 큰다고 생각하면 큰 착각을 하고 있는 거야. 이미 지금은 그때와 주변 상황이 너무 달라졌지. 달라진 상황에 맞춰 개를 어떻게 교육시킬 것인가 고민을 해야 해. 그러기 위해서 개의 교육과 관련된 책을 한두 권 읽을 필요가 있어. 개의 문제행동이 심각한 문제가 되면서 이런 문제행동을 예방하는 데 도움이 되는 반려견 교육서가 서점에 많이 나와 있어. 그러니 관련 책을 한두 권 읽어보고 반려견을 키워야해. 반려견 교육서까지 읽어야 한다면 너무 심하다고 생각할 수도 있지만, 이는 결코 심한 게 아니야. 반려견이 문제 행동을 일으키는 개로 성장하지 않기 위해서는 꼭 필요한 거야.

개의 교육은 언제부터 시작하는 것이 좋을까? 강아지는 어미개로부터 태어나면서부터 배우기 시작해. 무엇을 먹어야 하는지, 위험으로부터 자기를 어떻게 지켜야 하는지, 또 다른 개나 다른 사람들을 대하는 법도 배워. 그런데 지금 판매되는 대부분의 강아지들은 번식장에서 태어난 강아지여서 어미 개로부터 배워야 할 것을 제대로 배우지 못하고 팔려나와. 대소변을 어떻게 가려야 하는지조차 배우지 못하지. 그렇기에 어미에게서 배우지 못한 것은 모두 보호자가 가르쳐야 해. 특히 사람과 개는 다르다는 것을 인식시켜야 해. 그런 사회화 교육은 집에 데리고 온 첫날부터 시작해야 해.

중요한 것은 강아지를 폭력적으로 교육시켜서는 안 된다는 점이야. 그런 폭력은 강아지를 위축시키고 보호자와의 신뢰 관계를 깨뜨리게 해. 폭력적인 방법이 아닌 긍정적인 방식으로 교육하는 것이 중요하단다. 개의 사회화기는 보통 생후 5개월 정도에 끝나는데 그때까지 다른 개들과 사람들 또 낯선 환경에 자주 접하도록 해주어야 해. 다양한 환경에 자연스러워지도록 사회화가 되면 그 개는 낯선 사람에 대해 심하게 짖거나 혼자 있는 상황에 심각하게 스트레스를 받는 그런 개가 되지 않아. 그냥 이런 저런 상황에 대하여 자연스럽게 받아들이는 개로 성장하는 거지. 그렇게 성장하면 문제 행동을 하여 보호자가 더 이상 키울 수가 없다고 생각하는 극한 상황을 예방할 수 있지. 이렇듯 강아지의 사회화 교육은 매우 중요한 거야.

★◉◆
반려동물 교육에 도움이 되는 책들

개는 어떻게 말하는가
스탠리 코렌 지음, 박영철 옮김, 보누스

개가 행복해지는 긍정 교육
잰 페넬 지음, 정재경 옮김, 책공장더불어

고양이처럼 생각하기
팸 존슨 베넷 지음, 최세민 옮김, 페티앙북스

당신의 몸짓은 개에게 무엇을 말하는가
패트리샤 맥코넬 지음, 신남식 · 김소희 옮김, 페티앙북스

10

개 고양이 사료의 진실

왜 많은 개가 만성적 아토피에 시달릴까

아빠 사회화 교육은 정말 중요한 것 같아요. 가끔 동물병원에 갔을 때 너무 짖는 개가 있으면 정신이 하나도 없더라고요. 그런데 저는 너무 많이 짖는 개도 싫지만, 냄새가 심하게 나는 개도 정말 싫어요. 목욕을 안 해서가 아니라 피부 상태가 안 좋아서 그렇다고 했어요. 개들은 왜 그렇게 피부병에 잘 걸려요? 혹시 사회화 교육처럼 사람이 몰라서 못해주는 건 아닌가요?

동물병원에 피부병으로 내원하는 개는 전체 환자 중 70%에 달할 정도로 많은 게 사실이야. 피부병도 여러 종류가 있겠지만, 개들의 경우는 만성적인 아토피가 대부분이지. 잘 낫지 않는 만성 질환은 동물 유기의 원인이 되기도 해. 물론 대부분의 보호자는 고쳐주려고 애쓰지만 말이야.
　왜 이렇게 많은 개들이 만성적인 아토피를 달고 사는지 아빠도 오랜 시간 관심을 갖고 연구를 해봤는데, 네 말대로 사람들이 잘못 판단하는 부분

많은 개들이 끝없이 재발되는 피부병과 아토피로 고통 받고 있다.

이 있었어. 물론 만성적인 아토피의 원인은 다양하겠지만, 가장 우선적으로 바꿔야 할 것이 있었지. 바로 사료야.

다른 건 몰라도 사료는 믿고 먹일 수 있는 것 아닌가요? 영양적인 면에서도 성분표시도 잘 되어 있고, 또 유명한 협회로부터 검증받았다고 써 있기도 하던데요. 사료에 무슨 문제가 있어요?

동물병원이나 마트 또는 인터넷쇼핑몰을 보면 많은 종류의 개와 고양이용 사료들을 판매하고 있지. 화려하거나 혹은 신뢰할 수 있는 느낌을 주는 포장에는 제품을 홍보하는 다양한 문구들이 기재되어 있어. 신선한 재료를 사용하여 위생적인 시설에서 반려동물의 건강을 위한 성분조성으로 믿을 수 있는 다국적 거대기업에서 생산했다는 내용들이야. 또 미국의 FDA나 미국사료협회(AAFCO) 또는 미국 농림부(USDA) 등에서 검증을 받은 제품이라고 광고를 하고 말이야. 그래서 거의 모든 사람들은 반려동물의 건강에 도움이 될 것이라고 생각을 하면서 사료를 먹이지.

　그런데 실제로 사료는 사료회사들이 홍보하는 것처럼 그렇게 좋은 제품들이 아니란다. 2007년 미국에서는 6,000만 포대의 반려동물용 건사료와 습식사료가 리콜되는 역사상 최악의 사료 리콜 사태가 있었어. 중국산 원료가 들어간 그 사료들로 인하여 개와 고양이 수천 마리가 목숨을 잃었던 거지. 이 거대한 리콜 사태로 인하여 사료에 대하여 한 번도 의심해본 적 없는 소비자들은 경각심을 갖게 되었어. 원인은 중국 제조업체에서 생산한 중국산 밀 글루텐 때문이었어. 중국의 생산업자가 생산원가를 낮춰 더 많은 이익을 얻기 위하여 밀 글루텐에 멜라민과 시아누르산을 첨가한 거야. 이로 인해 중국에서 원료를 공급받아 생산하는 대부분의 사료들에서 문제가 발생했어.

　캐나다 온타리오에 본사를 두고 미국, 캐나다, 멕시코 등의 많은 사료업체에서 여러 종류의 사료를 생산·공급하고 있는 메뉴푸드는 95종 브랜드의 수백만에 이르는 캔과 파우치를 리콜했어. 아이암스와 유카누바의 생산자인 피앤지는 아이암스 43종과 유카누바 25종을 리콜했고, 뉴트로는 고양이용 사료 35종과 개사료 22종을 리콜했지. 퓨리나와 힐스도 자사의 캔들과 고양이 사료를 리콜했고 말이야. 하지만 2007년 중국의 멜라민으로 인한 사료 리콜 사태가 최초는 아니야. 잘 알려지지는 않았지만 전에도 수많은 사료 리콜이 있었지. 이때도 최소 비용으로 최대의 이윤을 추구하려는 사료회사들이 저가의 원료를 사용하기 때문이었어.

　그거 아니? 사료 포장지에 재료로 표시되어 있는 고기의 정체가 실은 살코기가 아니고 육류부산물이란 거 말이야. 여기에는 수많은 불순물과 병든 동물의 신체 부위들도 포함되어 있어. 현재 미국에서는 약 1억 마리의 소가 사육되며 매일 10만 마리가 도축되고 있어. 500kg의 소를 도살하면 약

235kg(정육율 47%로 했을 때)의 살코기를 얻을 수 있지. 이 말은 곧 소 한 마리당 265kg의 부산물이 생긴다는 이야기야. 이렇게 계산했을 때 미국 전역에서 하루 발생하는 소 부산물의 양은 2,650만 kg인 거지. 여기에 돼지와 닭 등의 가축 부산물을 합하면 계산하기조차 힘든 양이 나와.

이것이 사료가 만들어지고 산업화될 수 있었던 이유야. 급격하게 늘어난 미국 내 축산업으로 인한 부산물을 처리할 수 있는 해결책이 필요했기 때문이란다. 엄청나게 발생하지만 사람이 먹을 수 없는 축산 폐기물들은 처리하는 데도 엄청난 비용이 들고 매립하는 경우 환경문제도 유발하지. 그런데 이 문제를 한 번에 해결하면서 돈까지 벌 수 있는 방법이 사람이 먹지 못하는 축산 폐기물을 동물에게 먹이는 거야. 예전에는 소 부산물을 갈아서 소 사료에 첨가하기도 했어. 그로 인해 광우병 사태가 발생했지. 광우병 사태가 발생한 후 금지시켰지만 아무리 돈을 벌고 싶어도 어떻게 그렇게 할 수 있는지 몰라.

사료의 원료를 공급하는 회사 중에 렌더링 공장이 있어. 렌더링 공장은 사체 처리를 하는 회사에서 나온 동물 사체, 동물원에서 죽은 동물, 로드킬을 당했지만 땅에 묻기에는 사이즈가 너무 큰 동물, 식당이나 식료품점에서 나온 음식물 쓰레기들을 모두 거두어 가지. 도축장에서는 도축하고 남은 식용 부적합 판정을 받은 부위를 수거해오는데, 도축장 직원들은 렌더링 공장에 보내기 전에 사료가 될 동물 부산물 더미에 락스나 크레졸 등 화학적 변성제를 뿌려. 이렇게 모은 온갖 쓰레기를 거대한 통에 넣어 끓여서 표면에 뜬 기름은 거두어 캔용 지방으로 사용하고 나머지는 건조시켜 육분으로 만들어 보통 건사료에 사용하는 거야. 이런 재료를 받아서 만드는 사료가 적지 않단다.

이처럼 먹기에 부적합한 사료의 원재료도 문제지만, 또 이런 재료 못지 않게 반려동물의 건강을 해치는 것은 사료첨가물들이야. 사료첨가물은 사료를 만들기 위한 과정에 필요한 것도 있고 또 향이나 맛, 색과 같이 소비자의 구매 욕구를 자극하기 위한 부분도 있단다. 사료를 생산하여 전 세계에 있는 소비자에게 판매하기 위해서는 최소한 1년 동안은 부패되면 안 되거든. 그래서 유통기간을 늘이기 위하여 필수적으로 방부제가 들어가야 해.

물론 이런 사료첨가물들이 불법적인 것은 아니야. 중국 같은 곳에서는 돈을 벌기 위해 수단과 방법을 가리지 않기도 하지만 대부분의 나라에서는 FDA와 같은 곳에서 허가를 받은 첨가물만을 사용하지. 하지만 FDA의 허가를 받았다고 하여 반려동물에게 아무런 해가 없는 것은 아니야. 사료회사를 포함한 거대 식품회사들은 그들의 막대한 이윤을 위하여 합법적인 방부제나 다양한 식품첨가물이 필요했고, 그것의 법적 승인을 위하여 그들에게 봉사하는 연구자들을 통하여 FDA에 로비를 하여 그들이 원하는 결과를 성취해. 이런 이유로 FDA의 승인을 받았다고 하여 사료첨가물이 아무 문제가 없겠구나, 라고 생각하면 안 된다는 거야. 방부제들을 포함한 사료첨가물들이 곧바로 어떤 문제를 유발하는 경우는 드물겠지만 지속적으로 먹게 되면 아토피와 같은 문제를 일으킬 수 있단다.

사람도 그렇지만 아토피성 피부염을 앓는 반려견들이 늘어가고 있어. 아토피를 앓는 많은 반려견 보호자들은 먹는 것의 중요성을 알게 되면서 방부제나 사료첨가제가 들어가지 않은 간식이나 사료를 직접 만들어 먹이기도 해. 이것을 수제간식이나 수제사료라고 해. 이런 수제간식이나 수제사료에 대하여 영양의 불균형이나 세균감염 등을 염려하는 사람들도 있지만 반려동물에게 좋은 먹거리는 건강한 삶을 위해서 매우 중요한 부분이기 때문에 많은 고민을 해봐야만 해.

11
유기동물에 대한 대책

유기견은 현실의 고통보다 안락사를 원할까

아빠, 사람들이 키우다 버린 동물들, 또 길 잃은 동물들에 대한 대책을 보니 공통점이 있어요. 사람에게 불필요한 동물에 대한 처방으로 안락사가 언급된다는 거예요. 실행하는 사람들에게도 어쩔 수 없는 이유가 있겠지만, 반생명적이라는 생각이 없지는 않겠지요?

유기동물을 방지하거나 해소할 수 있는 바람직한 시스템이 갖춰 있지 않은 현 상태에서는 어쩔 수 없이 안락사를 실시할 수밖에 없다고들 하지. 그럼에도 불구하고 아빠는 안락사의 부당성을 말했는데, 정작 그렇게 실행하는 사람들은 안락사의 불가피성에 대해 확신이 있는 것 같아.

예전에 '끝장토론'이라는 프로그램에서 "반려동물 1,000만 시대, 유기동물 무엇이 문제인가?"라는 주제로 방송을 한 적이 있었단다. 공개 토론을 할 정도로 유기동물 문제가 심각해져서 사회 문제화되었다는 뜻이겠지.

그날 토론회는 유기동물을 어떻게 할 것인가로 논의가 집중되었지. 그때 보호소를 관리하고 안락사를 실시하는 수의사가 패널로 출연하여 "입양될 가능성도 거의 없고 좁은 공간에 갇혀서 시간이 지날수록 이런 저런 병에 걸려 고통을 당하는 것보다는 안락사를 하는 것이 그 동물을 위해서 좋다"고 하더구나.

앞에서도 여러 번 강조했지만 안락사는 살아 있는 것이 너무나 고통스러운데 다른 방법이 없을 때 불가피하게 선택하는 방법인 거야. 열악한 환경 속에서 고통 받는 것보다 죽어서 고통을 받지 않는 것이 낫기 때문에 안락사를 시킨다는 사고는 매우 큰 문제를 내포하고 있단다. 그 동물이 열악한 환경에서 살아가는 것보다 죽음을 원할까? 고통을 대신해주는 안락사가 과연 그런 식으로 합리화될 수 있을지 생각해보게 된단다.

여기서 먼저 짚고 넘어갈 부분은 '안락사' 라는 용어야. 유기견보호소에서 약물에 의해 죽어가는 동물이 편안하게 자신의 삶을 마감할까? 토론회에 출연한 유기동물보호소 직원은 안락사를 시키기 전에 그 동물을 위하여 경건하게 기도하는 시간을 갖는다고 했어. 정말로 그렇게 기도해주면 그 동물이 마음을 정리하고 편안히 저승으로 떠날까? 또 그 동물이 약물 처치로 고통 없이 편안하게 생을 마감할까? 말은 '그렇다' 라고 하겠지만 실제는 그렇지 않은 것이 문제란다. 대부분의 동물들은 약물로 인하여 심장이 강제로 마비되며 고통스럽게 죽어갈 뿐이야.

안락사는 "한 생명의 최선의 이익을 위해 행위 또는 무위로 그 생명을 의도적으로 죽음에 이르게 하는 행위"로 정의할 수 있어. 여기에서 고려되어야 하는 것은 우선 행위의 목적이 그 생명의 이익을 위한 것이어야 하고, 두 번째는 행위의 방식이 고통 없이 이루어져야 한다는 거야.

안락사는 안락사를 당하는 생명에게 이익이 될 때에만 안락사라고 할

보호소에 입소되는 많은 유기견이 10일 만에 안락사 되고 있다.

수 있어. 유기동물보호소에서 죽임을 당하는 동물에게 그 죽음이 이익이 되기 때문에 죽이는 걸까? 그렇지 않아. 보호할 공간이 없기 때문에 죽이는 거야. 사람들 중에는 유기동물 보호소에 있는 것이 고통스럽기 때문에 빨리 죽이는 것이 그 동물에게 유익하므로 그것이 안락사라고 주장하는 사람도 있어. 일반적으로 안락사는 극심한 고통을 겪는 상태에서 다른 방법으로 그 고통을 완화할 수 없을 때에 이루어진단다.

동물병원에서 동물을 진료하다보면 가끔 녹내장이 심각한 경우나 사지의 괴사가 심각하게 진행되어 안구를 적출하거나 사지를 절단 수술해야 하는 경우가 있어. 그런 경우 어떤 보호자는 동물이 고통스러워한다며 안락사를 시켜달라고 요구하기도 해. 하지만 그런 경우는 안락사의 대상이 아니야. 그 동물들은 수술을 통해 비록 한쪽 눈이나 한쪽 다리가 제거되더라도 고통 없이 살아갈 수 있단다. 그렇기에 그 동물은 안락사의 대상이 아니라 치료의 대상인 거야.

고통은 누구나 똑같이 느끼는 것이 아니라 매우 주관적으로 느껴. 또 고통은 안락사에 있어서 필요 조건이지 충분 조건은 아니란다. 고통이 있다면 안락사를 고려해볼 수 있지만 다른 여러 요건들 또한 충족되어져야 안락사라고 할 수 있어. 동물보호를위한세계협회(WSPA)나 RSPCA 등 여러 세계 동물 보호단체들은 불치의 병이나 고통의 정도, 사람에 대한 공격성 등을 고려하여 구성원들이 용인하는 경우에 한하여 안락사를 실시하고 있단다. 단지 구조 동물을 보호할 공간이 없기 때문에 안락사 시키는 것은 경계하고 있단다.

따라서 지금 대부분의 동물보호소에서 행하고 있는 방식은 안락사가 아니라 살처분이란다. 그런데 단지 이미지 관리를 위하여 완곡 어법을 사용하여 안락사라 칭하는 것일 뿐이지. 그러므로 살처분되는 유기동물에 대하여 안락사라는 용어를 사용하는 그 순간부터 안락사를 허용하는 이들의 주장을 일정 부분 용인하는 셈이지.

아빠, 사람의 관점에서 본 고통과 동물의 관점에서의 고통은 다른 걸까요?

버려진 동물들은 열악한 상태의 동물보호소에 보호돼. 버려진 동물은 이렇게 열악한 환경에서 고통 받더라도 살아 있는 것이 행복할까, 아니면 빨리

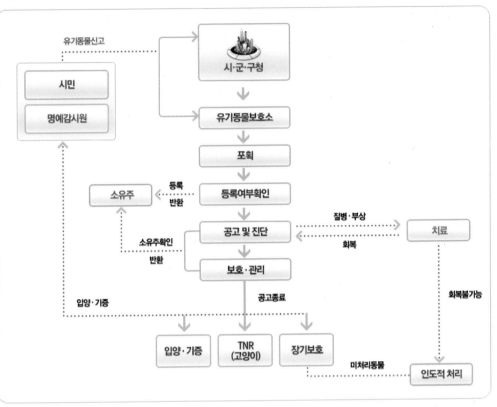

유기동물 처리 개요.

죽임을 당하는 것이 더 행복할까? 이 부분에 대해서는 많은 고민이 필요해. 여기서 핵심은 고통이라는 것을 어떻게 이해할 것인가에 달려 있단다. 어느 생명이고 고통을 즐기는 생명은 없어. 하지만 고통이라는 것과 죽음이라는 것을 두고 어느 것이 더 바람직한 선택인지는 깊은 고민을 해보아야만 해.

인간을 포함하여 많은 생명 중에 고통을 겪지 않고 사는 생명은 없어. 다만 지속적이거나 일시적이거나 또 경중의 차이가 있을 뿐이지. 사람들도 살면서 많은 고통을 겪으면서 살아. 그 고통이 순간적인 것도 있고 지속적인 경우도 있어. 불의의 사고로 회복할 수 없는 고통을 당하는 사람도 많아. 지금도 세계 곳곳은 전쟁 중이고 그 전쟁으로 인하여 눈을 잃거나 팔다리를 잃는 경우도 있어. 그런 회복될 수 없는 고통을 당한 이들에게 해줄 수 있는 것이 무엇일까? 또 제3세계뿐만 아니라 선진국에서도 살아 있는 것 자체가 고통인 수많은 사람들이 있어. 만약 이들의 고통을 덜어준다며 안락사를 시키겠다고 한다면 어떤 반응이 일어날까? 말도 안 되는 이야기지.

고통이라는 것은 매우 주관적인 영역이란다. 누구에게는 견딜 수 없는 고통이 어떤 이에게는 능히 견딜 만한 고통이 되기도 하지. 이러한 고통을 두고 죽는 것이 낫다고 어떻게 확신할 수 있을까.

동물병원에 있다 보면 가끔 사람들이 뒷산에 있는 발바리를 유기견이라고 잡아온단다. 이 개를 어떻게 하면 좋을까? 이 개들은 몇 년 동안 뒷산에서 살며 가끔 동네에 내려오기도 하지만 계속해서 뒷산에서 잘 살고 있던 아이들이야. 동네 사람들도 그 개들이 있는지 알기 때문에 가끔 먹을 것을 갖다 주기도 하지. 그렇게 몇 년을 살아온 아이들이고 또 앞으로 몇 년을 살아갈 아이들이야. 그런데 그 개들이 길에 다니는 것이 불안해 보인다며 잡아 오는 거지. 이 애들은 주인도 없고 또 새로운 주인을 찾기도 쉽지 않아. 애들을 유기견이라고 잡아와서 구청에 신고하면 구조협회로 가서 며칠 내에 살처분되는 거야. 그곳에 살고 있는 개들을 보는 사람이 불안하거나 집 없이 비바람 맞는 것이 고통스러워 보인다고 데려다가 살처분되도록 하는 것이 과연 바람직한 일일까? 그것은 그 사람이 불안감을 견디지 못하는 것이지 결코 그 개가 원한 것이 아니란 말이지. 아빠는 그렇게 개를 데리고 오는 경우 보호소로 보내면 며칠 지나지 않아서 살처분 되니까 그냥 있던 곳에 데려다놓으라고 조언해준단다.

이 이야기를 들으니 왠지 그리스 신화에서 읽었던 프로쿠르스테스의 침대가 생각나요. 생명에 대한 인간의 잣대가 정말 상대방을 위한 것인지 고민해봐야 한다는 생각이 들어요. 그러면 유기동물들은 정말 열악한 환경 속에서라도 살아남는 것이 더 행복하다고 여길까요?

모든 생명은 기본적으로 살고자 하는 욕망을 가지고 있단다. 살아가기 위하여 끊임없이 무엇인가 먹고 몸을 보호하려고 하지. 또 자신의 생명이 시간을 초월하여 존재하고자 끊임없이 종족번식을 하려고 해. 그런 욕망을 가지고 있고 그 욕망을 충족시키려고 하는 것이 생명이야. 그 욕망에는 만족이 없으며 채워지지 않는 경우 고통을 느끼게 마련이지. 생명은 그 고통에 대한 반응으로 벗어나려 하거나 고통의 근원이 되는 부분을 해결하려고 해. 생명이란 그런 거야. 어느 생명도 자신이 고통 받는다고 죽음을 택하지는 않아. 사고를 당하여 한쪽 다리를 잃었거나 눈을 잃었다고 죽음을 택하는 동물은 없어. 그 상황이 고통스럽기는 해도 그 상황에서 벗어나고자 죽음을 선택하는 동물은 없다는 말이지. 다리 하나를 잃으면 세 발로 뛰어다니고 눈 하나를 잃으면 한쪽 눈으로 살아간단다. 그것을 견디지 못하는 사람이 있을 뿐이야. 동물은 어떠한 고통이 있다 해도 조금 덜 고통스러운 상태가 되기를 원할 뿐이지 그것을 피하겠다고 죽음을 바라지는 않아. 생명은 어떠한 경우에도 그 환경에 적응하거나 그 환경을 극복하여 살아갈 수 있는 방법을 찾으려고 하지 죽는 방법을 찾지 않아. 그것이 생명이고 생명력이란다.

그러한 생명들을 두고 사람들이 열악한 환경에서 고통스럽게 사는 것보다는 죽는 것이 그 생명을 위하는 것이라며 안락사를 시키고 있는 거야. 어느 생명도 스스로의 죽음을 원한 적이 없는데 말이지.

그런데 여기서 한 가지 고려해야 할 것이 있어. 인간 이외의 생명들은 자신의 신체적 고통과 불편함만이 스스로 극복해야 할 과제인 반면, 인간은 자신의 고통 외에 주위로부터의 차별도 극복해야 한다는 차이가 있어. 신체를 손상당한 동물은 정상적인 동물과의 차이가 조금 불편할 뿐이지만, 인간은 다르단다. 육체적으로 심각한 상처를 받은 인간이 겪는 대부분의 고통은 비단 육체적 제약에 있지 않아. 타인으로부터 받는 차별로부터 더 극심한 고통을 느끼게 되지. 가령 다리 하나를 잃은 개는 그저 다리 하나를 잃어 조금 불편한 몸으로 살아가지. 다리를 하나 잃었다고 스스로 상심하거나 목숨을 끊으려고 하지 않아. 먹이를 구하거나 적으로부터 몸을 지키는 데 불편함이 있지만 그 불편함 때문에 목숨까지 끊으려고 하지는 않는다는 말이야. 하지만 인간은 차이로 인한 불편보다는 차별이라는 커다란 벽 때문에 더 고통스러워하지. 이런 상황이다 보니 사람들이 유기동물을 안락사시키면서도 그것이 정말 동물을 위한 것이라 생각하게 되는 것 같아. 유기동물이 지금처럼 고통 받고 열악한 상황에 있는 것보다는 죽는 것이 낫다고 말하는 것은 분명히 그 사람의 주관적인 판단이 개입되기 때문일 거야. 이런 점에서 아빠는 유기동물에 대한 안락사는 주관적인 판단에 의해서 생명을 죽이는 행위이자, 그 행위를 합리화시키는 것에 지나지 않는다고 생각한단다.

생명은 고통의 경중으로 판단할 수 있는 가치가 아니란다. 어느 생명도 살아 있는 것보다 죽는 것이 좋다고 승인하지 않아. 다만 생명은 가능하다면 현 상황보다는 조금 덜 고통스러운 상황을 원할 뿐이지. 그것이 생명이란다. 쇠똥에 굴러도 저승보다 이승이 낫다는 말이 있지. 어느 생명도 이승의 삶을 버리고 저승의 삶을 원하는 생명은 없어.

아빠, 그러면 지금 유기동물에게 행해지는 안락사가 최선의 방법은 아니란 말씀이죠?

그때 진행된 토론에서도 "유기동물 안락사 최선의 선택인가?"라고 물었지. 결론부터 말하면 안락사는 결코 최선의 선택이 아니야. 그렇다고 차선책이라고 할 수도 없어. 유기동물들이 길거리를 다니다가 로드킬 당하는 것을 최악이라고 한다면, 보호소에 끌려가 살처분당하는 것은 차악이라고 아빠는 생각해. 유기동물의 살처분은 결코 최선의 방법이 아니란다. 다른 방법을 찾지 못했기 때문에 시행하고 있는 차악의 방식일 뿐이야.

만족스럽지 못하고 불편하지만 큰 고통 없이 지내고 있는 생명을 죽이는 것은 안락사라고 할 수 없어. 현재 시행하고 있는 유기견의 살처분 방식은 유기견이 대량으로 발생하는 것을 구조적으로 줄이는 시스템을 갖추지 못하고 있고, 또 유기견을 그 생명이 다하는 날까지 돌보거나 재입양시키는 시스템을 갖추지 못했기 때문에 불가피하게 실행하고 있는 방식일 뿐이야. 또 어떻게 보면 적은 비용으로 가장 손쉽게 할 수 있는 방식을 선택한 것일 수도 있어. 생명을 죽이면서 그것이 그 생명을 위하는 것인 양 호도되어서는 안 된다고 생각해. 그냥 손쉽게 처리할 수 있는 방식이 죽여버리는 방식이기 때문에 그렇게 한다고 말하는 것이 정확한 표현 아닐까.

그래서 우리가 고민해봐야 할 것은 어떻게 해야 유기견이 발생하지 않을까 하는 거야. 반려견을 쉽게 구입하지 않고, 또 구입할 때는 죽을 때까지 돌볼 수 있는가를 고민해보도록 하고, 한번 키우기 시작했으면 쉽게 버리지 못하도록 시스템을 만들어야겠지. 또 부득이하게 키우지 못하게 된 경우에는 동물을 돌봐줄 사람을 찾을 수 있는 시스템을 만들고 유기견도 안락사가 아닌 재입양이 활성화되도록 하는 방법을 모색해봐야 할 거야. 어느 것 하나 쉬운 것은 없어. 그래도 생명을 다루는 일이기에 어려운 길이라고 하더라도 끊임없이 모색을 해봐야겠지.

12

유기동물 입양

반려동물을 선택하는 아주 특별한 방법

유기동물에 대한 대책이 정말 절실하다는 생각이 들어요. 우선적으로는 개개인이 반려동물에 대해 책임감을 갖고 대해야겠다는 생각이 들고요, 또 하나는 유기동물이 생기더라도 최대한 안락사의 위기에 처하지 않도록 하는 노력이 중요하다는 것을 느꼈어요. 시스템을 마련하는 것도 중요하겠지만, 그건 너무 장기적인 일인 것 같고요, 동물을 사랑하는 보통 사람들이 당장 힘을 보탤 수 있는 방법은 무엇이 있을까요?

그래, 우선은 네 말처럼 반려동물을 키우기에 앞서 한번 키우기로 했으면 죽을 때까지 돌봐야 한다는 책임감을 갖고 신중하게 선택하는 자세가 중요하단다. 보통 강아지를 키우기로 결정하면 애견센터에서 분양을 받잖니? 그런데 무조건 태어난 지 얼마 되지 않는 강아지만을 고집하는 것이 아니라, 버려졌거나 길 잃은 동물 중에서 선택하는 방법도 있단다. 아빠가 대

서울시 반려동물입양센터에서는 입양에 앞서 '개를 키운다는 것'에 중점을 맞춰
반려동물 교육을 실시하고 있다.

학원에서 「유기견 안락사의 윤리적 고찰과 사례를 통한 발전적 해결방안」이라는 제목으로 논문을 작성했거든. 그때 안락사가 아닌 대안으로 적극적인 입양을 보내는 몇몇 단체를 인터뷰했어. 그 단체들은 안락사를 기다리고 있는 유기견을 데려다가 키워줄 새로운 보호자를 찾는 활동을 열심히 하고 있었어. 그런 단체들을 통해서 키울 동물을 구하는 것도 하나의 방법이야.

그런 단체에서 입양 받으려면 어떻게 해야 하나요?

동물보호 단체들이 많은데 각 단체의 특성에 따라 조금씩 차이가 있어. KARA의 경우에는 입양을 원할 경우 정말 잘 돌봐줄 수 있는 사람인지 서류 심사를 해. 그래서 잘 돌봐줄 만한 사람이라고 판단되면 입양할 유기견을 소개해준단다. 또 인천에 있는 '한국반려동물사랑연합'(유기견의 수호천사들, 유수천)이라는 단체는 유기동물의 사진과 특징, 성격, 나이 등 프로필이 실린 입양 공고를 카페에 올리는데, 게시물을 본 일반 시민이나 카페 회원들이 입양 신청을 하는 경우 절차에 따라 진행하고 있어. 한편 고양시에서는 유기동물을 돌보는 단체가 고양시 수의사회와 연계하여 주말에 정발산역 부근의 공원에서 '유기동물 입양 거리 캠페인'을 벌이고 있어. 또 서울시에서는 과천 서울대공원에 반려동물입양센터를 운영하고 있지. 동물구조협회에 포획된 지 10일이 경과하여 안락사 대상이 되는 유기동물을 데려와서 입양시키는 활동을 해. 유기동물이 센터에 오면 1주일 간 검역실에서 전염병 검역을 받아. 그 결과 전염병에 감염되지 않은 경우 일반적인 질병은 치료를 하고 백신을 접종시킨다고 해. 그리고 성격을 분석하여 문제 행동이 있으면 행동교정훈련을 실시하여 입양을 희망하는 사람들에게 안

내해준다는구나.

유기동물을 입양하려고 생각한다면 좋은 정보가 될 것 같아요. 희망하는 사람이면 누구에게나 입양해주나요?

이 네 곳뿐만 아니라, 여러 동물보호단체에서 유기견 입양 활동을 하고 있는데 이들 단체들은 모두 약간 까다로운 심사를 거쳐서 입양을 보낸단다. 그 이유는 버려져서 상처받은 동물이 또다시 버려지는 일을 방지하기 위해서지. 또 놀랄지 모르겠는데 그렇게 입양을 하는 사람들 중에는 간혹 보신탕 업자들이 있어서 유기견을 입양해서 보신탕으로 팔아먹기도 해. 그래서 더욱 까다롭게 심사를 하는 거야. 입양과 관련된 기준은 각 단체마다 약간씩 차이가 있어.

유기동물 입양 절차

KARA의 입양 절차

1. 입양 신청서를 작성한다.
2. 서류 심사 – 작성한 입양 신청서로 입양 담당자가 서류 심사를 실시한다.
3. 1차 개별 연락.
4. 2차 전화 인터뷰 – 필요한 경우 가족 인터뷰가 추가된다.
5. 담당자 방문 – 입양 담당자가 입양 동물과 함께 직접 입양 신청자 집을 방문한다.

유기동물을 입양해서 키운다는 것은 그냥 마음만으로 되는 것은 아니다. 이런 저런 경제적인 비용도 필요하고 또 책임을 져야 하는 부분도 있다. 그래서 KARA에서는 미성년자가 입양을 신청하는 경우 보호자의 동의 및 보호자와의 인터뷰 절차를 두고 있다. 또 입양비를 7만 원 받는데, 그 금액은 전액 유기동물의 치료비와 사설보호소 후원금으로 사용된다. 입양이 결정되면 담당자가 직접 신청자의 집을 방문하여 정말 입양한 유기동물을 잘 돌봐줄 수 있는 환경인지 살펴보고 마지막 결정을 하게 된다. 또 이렇게 입양을 보내는 것으로 끝나는 것이 아니라, 입양된 후에도 가끔 입양한 동물이 잘 지내고 있는지 모니터링을 하는데, 그것에 협조해주는 조건하에 입양을 보내고 있다. 입양을 하는 사람들 중에 입양한 동물을 보신탕집에 팔아먹는 경우도 있고 또 방치하는 경우도 있기 때문이다.

입양을 하고 싶지만 망설여지거나 기존에 있던 동물과의 관계가 걱정이 되는 경우에는 임시보호를 해볼 수도 있다. 입양센터에서 봤을 때는 사람을 너무 경계하던 개들도 의외로 안정적인 분위기의 가정에 들어가면 심리적으로 안정 상태를 찾아 사람에게 굉장히 친화적으로 바뀌는 경우도 있다.

한국반려동물사랑연합(유수천)의 입양 절차

1. 카페에 실명으로 가입한다.
2. 중성화에 반드시 동의해야 하고 마이크로칩 삽입에 동의해야 한다.
3. 미성년자 및 26세 이하인 사람은 반드시 부모의 동의가 필요하고, 입양 시 반드시 부모와 함께 보호소로 방문해야 한다.
4. 신혼 부부나 독신 남성의 경우 입양이 불가할 수 있다.
5. 입양 후 반드시 정기적으로 입양견의 소식을 카페에 올려주어야 하며, 소식이 없을 때에는 가정 방문에 동의해야 한다.
6. 신분 확인을 위해서 가정 방문 및 주민등록 등본 등의 서류를 갖추어야 한다.
7. 처음 반려동물을 키우는 가정의 경우에는 반드시 보호소에 와서 봉사 활동에 참여하여 반려동물에 대한 기초 지식 습득 및 마음가짐에 대한 다짐을 한 번 더 해야 한다.
8. 입양견을 유기 및 유실, 학대할 경우에는 반드시 처벌받게 됨을 서약하고 보낸다.
9. 가족 중 알레르기가 있거나 천식이 있는지 여부를 미리 알아보고 차후에 그러한 가족 간의 질병 문제로 입양견이 다시 파양되는 일이 없도록 설명하고 재차 심사를 거친다.
10. 반드시 모든 가족의 동의 여부를 확인 후 입양을 보낸다.

서울대공원 반려동물입양센터의 입양 절차

1. 입양 희망자는 우선 입양 안내 교육을 받은 후 상담 신청서를 작성한다
2. 어떤 가정 환경인지 어떤 개를 원하는지 등을 물어서 입양 심사를 한다.
3. 체크 리스트와 상담 기록을 가지고 최소 3인 이상의 담당 직원이 모여 최종 심사를 한 후에 판정한다.
4. 입양 심사에 통과하면 입양 동의서와 입양천사 서약서를 작성한 후 입양을 진행한다.
5. 입양 후 입양동물을 잘 관리하고 있는지 이후 6개월 간 전화로 확인을 하고 입양 동물의 근황을 입양센터 인터넷카페에 올려야 한다.

※부적격자로 판단하는 기준
• 18세 미만의 미성년 등이 가족의 동의 없이 입양하고자 하는 경우.
• 사료, 간식비, 건강 관리(동물병원 이용) 비용을 거의 충당할 수 없을 정도로 심각하게 경제적 어려움이 있는 경우(정기적 수입이 없는 경우).

- 임신, 출산, 해외 이주 등 개를 키우지 못할 환경이 예상되며 이에 대한 대책이 없는 경우.
- 매일 최소 8시간 이상 집이 완전히 비어 개를 돌봐주기 어려운 경우(유기견 대다수의 행동 문제는 산책 및 관심으로 교정 가능하나 이를 교정해줄 수 없으므로).
- 기존 경력상 동물을 고의적으로 학대·유기하거나 질병 시 적절한 치료를 하지 않는 등 책임감이 없고 동물을 사랑하며 키우지 않을 경우.
- 번식업자, 개고기 판매업자 등 동물을 상업적으로 이용하고자 하는 경우.
- 기타 거짓으로 체크 리스트를 작성하거나 적절한 사유 없이 동물을 파양시킨 경우.

반려동물입양센터에서는 입양 자체보다도 보호자 교육에 더 힘을 쏟고 있다. 보호자 교육은 입양을 원하는 사람뿐만 아니라 일반인 중에서도 원하는 모든 이에게 실시하고 있으며, 개는 어떤 동물이고 어떻게 대해야 하는지, 어떻게 이해를 해야 하는지 등을 알려준다. 이러한 교육은 사람들이 동물에 대해서 더 깊이 알게 하고 입양을 할 때 신중을 기할 수 있도록 도와준다.

유기동물을 입양할 때 도움을 받을 수 있는 곳
- 동물권행동 KARA
  홈페이지 http://www.ekara.org 전화번호 02-3482-0999
- 동물자유연대
  홈페이지 http://www.animals.or.kr 전화번호 02-2292-6337
- 동물학대방지연합
  홈페이지 http://www.foranimal.or.kr 전화번호 02-488-5788
- 동물과 함께 행복한 세상(동행)
  카페 http://cafe.daum.net/happyanimalcompanion
- 한국반려동물사랑연합
  홈페이지 http://cafe.daum.net/jesushappydog 전화번호 032-461-7004
- 서울특별시 반려동물입양센터
  카페 http://cafe.naver.com/seoulrehoming 전화번호 02-500-7979

13
유기견보호소 그리고 자원봉사와 기부

버려진 생명들을 보살피는 사람들

유기동물에 대해서 안락사가 최선의 선택이라고 여기는 사람이 있는가 하면, 반려동물에 대한 인식 전환을 위해 열심히 일하고 있는 사람도 많군요. 그런데 이런 일들은 이익이 생기는 일이 아닌데, 어떻게 꾸준히 할 수가 있죠?

리준아, 네 말대로 이런 일을 하는 대부분의 단체들은 이익을 내는 일이 아니다 보니 기부와 자원봉사로 이루어진단다. 기부와 자원봉사로 동참하는 것도 버려진 생명을 위한 실천이야. 아빠는 KARA와 함께 유기견보호소 봉사를 다니곤 해. 이런 봉사에는 애견미용사, 수의사뿐만 아니라 일반인들도 참여하지. 청소도 하고 시설 보수 공사도 하고, 목욕 · 미용도 시켜주고, 아빠 같은 수의사는 아픈 동물을 치료하기도 하고 말이야. 유기견보호소에서 더 이상 개체수가 늘어나지 않도록 수컷의 중성화수술을 하는 것도 중요한 일이거든. 때로는 유명 연예인들이 함께 하는데, 유기견보호소에 대한 관심과 이러한 봉사활동을 알리는 일에 큰 도움이 되지. 이렇게 동물보호단체들은 많은 사람들의 후원금과 자원봉사가 있기에 다양한 활동을 계속할 수 있는 거야.

유기견보호소의 상황은 보호소마다 천차만별이야. 관리가 잘 되는 곳은 그나마 깨끗한 상태를 유지하지만, 관리가 제대로 되지 않는 곳은 처음 가보는 사람은 차마 눈 뜨고 보지 못할 정도인 곳도 많단다. 그런 곳은 눈으로 보는 광경뿐만 아니라 곳곳에 베인 악취로 숨을 쉴 수 없을 정도지.

유기견보호소에서 하는 봉사활동이란 것은 별 게 아니야. 개들도 살아 있는 생명이기 때문에 매일 같이 사료를 먹고 똥과 오줌을 싸. 그러니까 사료를 챙겨 먹이고 똥을 치우는 것이 주된 일이야. 그런데 문제는 보호소의 개들이 한두 마리가 아니라는 거지. 어떤 보호소는 600마리가 넘기도 하거든. 미로 같이 얽히고설켜 있는 넓은 보호소에 개들이 많다보니 한쪽의 똥 치우고 사료 주고 뒤돌아보면 그 사이 사료를 다 먹은 개가 또 똥을 싸놓아 치우는 과정이 끝없이 반복되는 거야. 그런 끝없는 일을 반복하다보면 사람이 피곤해지고 어느 순간 관리를 포기하면 유기견들은 자기가 눈 똥밭에서 생활을 하게 되는 거란다. 이런 상황에서 전염병이라도 돌게 되면 한순간에 그 많은 개들이 아프거나 죽기도 하지. 그런 상황이 되면 속수무책이 되는 거야.

유기견보호소를 관리한다는 것은 이렇게 육체적인 부담도 있지만, 또 하나 중요한 점은 개들에게 지속적으로 사료를 먹이기 위해서는 비용이 많이 든다는 거야. 몸의 피곤함에 경제적인 부담까지 개인이 해결해야 한다는 뜻이지. 그래서 처음엔 버려진 개들이 불쌍해서 한 마리 두 마리 모으다가 의욕적으로 보호소를 시작하신 분들도 시간이 지나면서 쌓이는 피로와 경제적인 부담감 때문에 보호소 문을 닫거나 방치하는 경우도 생긴단다.

유기견 보호소에서 봉사활동을 하는 봉사대원과 중성화수술을 하고 있는 수의사.

게다가 아직 보신탕이 만연한 우리나라에서는 버려진 개들을 데려다 돌보
는 사람들을 보는 시선 또한 곱지 않은 게 현실이야. 사람 먹고 살기도 힘든
데 개에게 그런 정성을 쏟는다며 미친 사람 정도로 취급을 하지. 버려진 개
들이 불쌍해서 유기견보호소를 하고 있는 사람들은 그런 이중 삼중의 어려
움을 겪고 있어. 그래서 후원과 봉사가 더 절실하단다.

　유기견보호소에 있는 개들의 상태는 어떤가요?

　보호소에 있는 개 중에는 이전에 키우던 사람에게 학대를 당했거나 혹
은 버려진 후에 거리를 떠돌면서 사람들로부터 학대를 받았는지 사람에게
경계심을 강하게 갖는 개들이 많아. 그런 개들은 개집에서 잘 나오지 않고
사람이 다가가면 으르렁거리며 경계심을 표시하곤 해. 또 어떤 개들은 사
람의 애정이 너무 그리워서 봉사자들이 가면 간절한 눈빛으로 자기를 안아
달라고 매달리기도 하지.
　유기견보호소는 여러 면에서 여건이 좋지 않은 곳이니 만큼 환경도 깨

끗하지 않고 먹는 것도 비용 때문에 양질의 사료를 먹일 수가 없어. 또 겨울에는 보온도 쉽지 않지. 그렇기 때문에 보호소에 있는 유기견들은 다양한 질병에 걸리기 쉬워. 하지만 그렇게 어딘가 아픈 것을 알아도 비용 부담 때문에 적절한 치료를 해주는 것이 어렵단다.

위생적인 면이나 영양적인 면에서 볼 때 사설 유기견보호소들이 만족할 만한 상황은 아니지만 그래도 자치단체와 연계된 동물구조협회에서 운영하는 보호소에 갇혀 있는 개들에 비하면 천국이란다. 적어도 사설 유기견보호소에 있는 개들은 자신의 건강이 허락할 때까지는 살 수 있으니까 말이야.

많은 개들이 먹는 사료 값도 만만치 않다고 하는데, 만약 커다란 개가 있으면 몇 배는 더 먹겠는걸요? 보통 도시에서는 작은 개들을 많이 키우는데, 유기견보호소에 커다란 개도 있나요?

그렇지 않아도 그런 커다란 개들 때문에 어려움을 호소하는 보호소 소장님들을 본 적이 있단다. 한 소장님은 번식장에서 개소주집에 팔려가는 큰 개가 불쌍해서 돈을 주고 사왔대. 그런데 얼마 지나지 않아 배가 불러오기 시작하더니 8마리의 새끼를 낳은 거야. 그런데 새끼의 모양이 조금 달랐대. 어미 개는 하얀 색의 커다란 피레니즈라는 종이었는데 새끼들은 뭔가 생긴 모양이 달랐다는 거야. 그래서 개를 판 사람에게 전화를 했더니 육견을 낳아서 키우려고 도사종이랑 교배를 시켰다는 거야. 그렇게 태어난 강아지들은 무럭무럭 자랐지. 아빠가 봤을 때가 생후 5개월 정도였는데 덩치가 만만치 않았어. 지금은 훨씬 더 큰 성견이 되었겠지. 어미 개는 이미 자기만큼 커버린 새끼들을 낯선 사람이 어떻게 할까봐 경계의 눈빛을 하고

철없이 뛰어다니던 새끼(?)와 걱정스럽게 바라보던 어미개.

바라보고 있었지.

　강아지라고 하기에는 너무 커버린 개들이 하루에 먹는 양도 보통이 아니고 또 싸는 똥의 양도 보통이 아니었어. 이 강아지들을 다른 곳으로 분양할 수도 있지만 틀림없이 보신탕집으로 팔려 갈 것 같아서 어쩔 수 없이 죽을 때까지 데리고 있겠다고 하셨어. 그 강아지들이 하루에 커다란 사료를 한 포대씩 먹는다는구나. 그 소장님은 "개 한 마리 불쌍해서 데려왔다가 폭탄 맞았어요." 라고 하시더구나.

　보신탕집으로 끌려갈까봐 분양도 할 수 없다니 너무 안타깝네요. 버려지는 개와 안락사당하는 개들에 대한 이야기를 들었을 때도 많이 안타까웠는데, 유기견들이 보신탕집에 팔려간다는 이야기를 들으니 안타까움보다는 충격인걸요.

　커다란 개만 있는 보호소에 다녀온 적이 있단다. 그곳에서 봤던 참을이라는 개가 생각나는구나. 참을이는 독일로 유학을 갈 예정이던 대학생이 어느 식당에 묶여 있는 개를 보고 구조 요청을 하여 구조된 개였어. 당시 참을이는 왼쪽 앞다리가 곪아 썩어들어가는 상태였다고 해. 상처가 처음 생겼을 때 동물병원에 데리고 가서 치료를 했으면 쉽게 나았을 텐데 식당주인은 상처가 생긴 참을이를 방치했던 거지. 그래서 결국은 뼈가 드러날 정도로 살이 썩어들어갔어. 참을이는 구조 직후 앞다리를 절단하는 수술을 받았지.

보호소의 환경이 여름에는 덥고 겨울에는 추워서 적응하느라고 고생도 많이 했다는구나. 참을이는 다리가 하나 없지만 몸의 균형도 잘 잡고 큰 불편함이 없는 듯 잘 다녔어. 참을이를 구조 요청했던 학생은 참을이를 구조해주면 평생 후원을 하겠다고 약속했지만 연락이 끊긴 지 오래되었다고 해.

보호소의 개들은 북어머리를 팔팔 삶은 물에 사료를 비벼서 점심식사를 했어. 보호소에 있는 개들이 모두 덩치가 크기 때문에 하루 10㎏의 커다란 사료 한두 포대씩을 먹는다는구나. 그런데 큰 포대의 사료는 영양이 떨어지기 때문에 영양 보충을 위하여 가끔 북어머리를 삶아 먹인다는 거야. 그곳에 있던 개들은 모두 주인에게서 버려졌거나 보신탕집에 팔려갔다가 구조된 개들이었어. 만약 구조되지 않았다면 벌써 보신탕이 되어 이 땅에서 숨을 쉴 수 없는 처지가 되었겠지. 이 개들은 죽는 그날까지 보살핌을 받을 수 있으니, 그것보다 더 행복한 일이 어디에 있겠니.

그곳에 있던 개들은 보통 6년에서 8년 정도 보호되고 있는 중이라고 해. 그 동안 보호소 사람들이 잘 돌봐줘서인지 사람에게 매우 친근했어. 보신탕용으로 키우기 위해 뜬장에 갇혀 지내는 개들이 사람을 경계하고 공격적인 반응을 보이는 것에 비해 그곳의 개들은 봉사 활동을 하러 온 사람들에게 놀아달라고 장난을 걸었어. 같은 개라도 어떤 환경에서 살고, 사람이 어떻게 대하는지에 따라 그렇게 하늘과 땅 차이만큼이나 달라진다는 걸 알게

다리 절단 수술을 받아 한쪽 다리가 없지만 건강하게 살고 있던 참을이.

되었단다. 커다란 덩치에 장난을 치는 모습을 보며 천진난만함이 어울리지 않는다는 생각도 했지만, 저것이 생명이구나 하는 생각이 들더구나.

유기견보호소의 현실을 듣고보니, 늘 시작은 안쓰러운 마음에 한두 마리 데려온 것이 보호소로 확대되었다는 식이네요. 그러다보니 사료를 주고, 깨끗하게 유지하는 것만으로도 너무 벅찬데, 정말 어디 아프기라도 하면 많이 힘들 것 같아요. 유기견보호소의 의료 혜택은 어떤지 현실이 궁금해요.

그래, 보호소의 경제적 사정이 어렵다보니 데리고 있던 애들이 아프기라도 하면 큰일이야. 그런데 보호하는 개들이 많다보면 가지 많은 나무에 바람 잘 날이 없다고 이런 저런 일들도 많이 생기지. 서로 싸우다가 상처가 나는 애들도 있고, 산등성이 천막 같은 집에서 지내다보니 모기에게 물려

▲ 개체수가 관리되지 않는 사설 유기견보호소의 환경은 유기견이나 보호자들 모두에게 고통을 준다.

▼ 관리가 되지 않는 사설 유기견보호소에서는 강아지가 계속 태어남으로 인해 보호소 상태를 더욱 악화시킨다.

서 심장사상충에 걸리는 경우도 많고 말이야. 무엇보다도 큰 문제는 보호소에 있는 개들끼리 짝짓기를 하여 개들이 기하급수적으로 느는 거야. 예전에 의정부에 있던 어느 할머니는 길거리의 개들이 불쌍해서 몇 마리를 집에 데려다가 키웠는데 이 개들이 서로 짝짓기를 하면서 3~4년 만에 200마리까지 늘었다는 거야. 그래서인지 개들 중에는 똑같이 생긴 애들이 여러 마리 있더구나. 보호소에서 그렇게 개체수가 늘어나는 것을 막기 위해서는 무엇보다도 중요한 것이 중성화수술을 해주는 거야. 그런데 그곳에 있는 개들을 모두 중성화수술 시키려면 그 비용이 만만치 않아. 그래서 아빠가 활동했던 KARA에서는 의료봉사대를 결성해서 봉사활동을 가는 보호소마다 중성화수술을 했단다. 그게 별것 아닌 것 같지만 그 보호소에게는 매우 중요한 문제이고 또 큰 도움이 돼. 그렇게 봉사활동을 가는 곳마다 중성화수술을 해주다보니 나중에는 개체수 증가가 눈에 띄게 줄어들더구나. 다행스러운 일이었지. 또 그밖에도 유기견이 전염병에 걸리지 않도록 예방접종도 해주고 심장사상충이나 진드기와 같은 외부기생충에 감염되지 않도록 약도 발라주었단다. 그러한 것 하나하나가 보호소를 운영하는 분들에게는 많은 도움이 되는 거야.

이러한 봉사활동은 한 사람의 노력만으로는 힘들어. 예전에 KARA에서 의료봉사대를 만들 때에도 아름다운재단에서 후원을 해주어 의료봉사 차량과 각종 장비 그리고 마취약을 비롯하여 약품들을 마련할 수 있었어. 또 유기동물에게 사용할 예방주사약이나 기타 약품을 제공해주는 약품회사들도 있었고. 그렇게 도와주는 여러 손길들이 있었기에 가능한 일이었지.

아빠 말씀을 들을수록 유기동물보호소를 운영한다는 것은 절대 혼자 힘으로는 불가능한 일이라는 생각이 들어요. 그런데 아빠랑 봉사활동 갔던 곳 중에 기억에 남은 곳이 있어요. 어떤 할머니가 600마리가 넘는 유기견들을 돌보는 곳이었어요. 유기동물을 돌보는 것도 좋지만 어떻게 그런 환경에서 사람이 살아가는지 끔찍하게 느껴지는 곳이었어요. 어찌 보면 할머니 혼자서는 감당할 수 없는 규모인 것 같은데, 도움 받는 것도 필요하지만 기본적인 문제가 있다고 보였어요.

개인이 운영하고 있는 유기동물보호소 중 깨끗하게 유지되는 곳의 특징은 우선 데리고 있는 유기견의 개체수가 일정해. 그것은 더 이상 개체수를 늘이지 않으려고 데리고 있는 아이들을 중성화수술 시키고 또 열심히 입양을 보내는 활동을 하기 때문이야. 그리고 유입되는 유기견을 철저히 통제해. 그렇기 때문에 개체수가 늘어나지 않거나 조금씩 줄어들지.

거기에 반해 어떤 유기동물보호소는 지옥이 이런 곳인가 싶은 곳도 있어. 적게는 200마리 정도부터 많게는 600마리 또 어떤 곳은 넓은 산비탈에 미로 같은 판자집이 잔뜩 있는데 거기에 몇 마리의 개들이 있는지 알 수 없는 곳도 있어. 그런 곳을 가보면 여기 저기 개똥이 널려 있고 군데군데 죽은 쥐들도 있어. 개들은 봉사자들이 가면 떼를 지어서 쫓아다니는데 도대체 몇 마리인지 알 수가 없지. 또 구석에는 갓 태어난 새끼 강아지들도 있고.

그런 곳을 운영하는 사람들은 대부분 애니멀호더(animal hoarder)란다. 일반인에게는 낯선 용어겠지만 애니멀호더는 자신이 감당할 수 있는 한계를 넘어섰음에도 불구하고 대책 없이 동물들을 모으는 사람들이야. 어떤 집을 가면 방이 두 칸인데 개들이 70마리 정도 바글바글거려. 사람이랑 유기견이랑 뒤엉켜서 살아. 밥도 개들 속에 섞여서 먹고 잠도 같이 뒤엉켜서 자고. 도저히 일반인이라면 견딜 수 없는 삶을 살지.

일반인의 눈에는 애니멀호더와 동물보호운동을 하는 사람들을 구분하

애니멀호더는 유기견의 상태가 안 좋은데도 아무 문제가 없다고 생각한다.

기가 어려울지 몰라. 전부 동물에 정신이 나간 사람들로 보일지도 모르지. 하지만 애니멀호더와 동물보호운동을 하는 사람들은 달라. 애니멀호더의 특징은 첫째 감당하기 힘든 많은 수의 동물들을 모아. 그리고 두 번째는 데리고 있는 동물들의 기본적인 욕구들을 충족시켜주지 못하고, 세 번째는 자기 자신은 물론이고 함께 사는 가족이나 동물들의 심각한 상태를 인식하지 못하며 변명하거나 부인하는 거야. 데리고 있는 사람이나 데리고 있는 유기견이나 상태가 매우 안 좋아 보이는데 아무 문제가 없다고 생각해. 더 중요한 것은 그렇게 상태가 안 좋은데도 불구하고 길에서 유기견을 발견하면 일단 데려다놓는 거야. 유기견이 불쌍하다는 감정을 억제하지 못하는 거지. 자신의 삶이나 이미 데리고 있는 유기견에 대한 대책도 없으면서….

정신건강 전문가들은 애니멀호더를 집착성강박장애(OCD, Obsessive compulsive disorder)의 일종으로 규정하고 있어. 「캘리포니아 레이어(California Lawyer)」지의 애니멀호더 사건 특집 기사에 의하면, "심리학자들은 애니멀호더들이 알콜이나 마약중독자들처럼 동물에 중독되어 있다고 생각한다."고 밝혔어. 또 여러 연구자들은 애니멀호더가 강박성인격장애나 정신분열증과 같은 상태라고도 해. 이러한 정신적 문제는 유아기에 매우 불안정한 환경에서 자랐거나 충격적인 일을 겪은 후에 적절한 치유를 받지 못한 경우 발생한다는 정신분석도 있단다.

이렇듯 애니멀호더는 정신적으로 보살핌을 받아야 할 대상들이야. 그런데 이렇게 보살핌을 받아야 할 사람들이 자신들이 전혀 감당할 수 없는 많은 동물들을 모아서 데리고 있음으로 인해 여러 문제들이 발생하지. 우선 애니멀호더의 정신과 신체에 여러 가지 문제가 생긴단다. 애니멀호더들은 열악한 환경에서 많은 동물들과 침실조차 구분 없이 뒤엉켜 생활하기 때문에 거주지의 위생은 처참한 상태이고 신체적 건강도 심하게 손상된 상태야. 애니멀호더의 거주지는 많은 동물들의 배설물 때문에 높은 수치의 암모니아가 존재하는데, 미연방주거안전 보건당국(OSHA)에 따르면 암모니아는 굉장히 치명적인 건강상의 위험 요소로 분류된다는구나. 피부, 눈, 폐 등을 손상시킬 수 있기 때문이지. 이들은 또 자기 자신을 방치할 뿐만 아니라 가족과 이웃들과의 관계에도 문제를 일으켜. 이웃들은 애니멀호더의 비위생적인 환경, 악취, 소음 등으로 고통을 받기 때문에 지속적으로 민원을 제기해. 이로 인해 애니멀호더들은 대부분 이웃이나 가족들과 단절된 삶을 살고

애니멀호더 중에는 단지 유기견뿐만 아니라 잡다한 물건을 모으는 경우도 있다.

있어.

그리고 애니멀호더들이 데리고 있는 동물들에게도 많은 문제가 일어나. 애니멀호더들이 데리고 있는 동물들은 음식, 주거지, 수의학적 관리 등 기본적인 필요를 박탈당한 채 열악한 여건에서 살아. 최악의 경우 호더들의 동물들은 먹을 것과 물을 공급받지 못해 굶어 죽기도 하고 때로는 다른 동물의 사체를 뜯어먹는 경우도 있어. 1999년에 터프츠대학교의 게리 패트로닉 교수의 연구에 따르면, 애니멀호딩(Animal hoarding, 과잉다두사육) 사건의 80%에서 동물들이 죽거나 심한 질병 또는 부상에 시달린다는구나. 이런 호더의 동물들은 오랫동안 고통 받으며 서서히 죽어가지. 하지만 애니멀호더는 어떠한 상황에 있더라도 동물들을 안락사로 죽이는 것보다는 비참한 환경일지라도 자신들이 데리고 있는 것이 낫다고 생각해.

동물들이 가장 기본적인 욕구조차 해결되지 않는 환경에서 생활한다는 것은 고통이기 때문에 애니멀호딩은 학대 행위야. 하지만 많은 애니멀호더들은 자신을 애니멀호더로 생각하지 않고 죽음을 당할 불쌍한 동물을 돌보고 있다고 생각해. 그들은 외형적으로는 동물보호소나 구조기관을 운영하며 선한 행동을 하고 있다고 생각하는 거지. 그렇기 때문에 현실적으로 애니멀호더의 문제를 해결하기가 쉽지 않아.

애니멀호더의 문제는 동물복지가 열악한 나라에서만 발생하는 것은 아니야. 사회적으로 소외받는 사람들은 무엇인가 편집증적인 증상을 보이는 경향이 있기 때문에 대부분의 나라에는 애니멀호더들이 있어. 하지만 우리나라는 보신탕이 만연되어 있고, 유기견이 많이 발생하는 상태에서 지방자치단체와 연계된 대부분의 보호소들이 유기견을 입양시키기보다는 대부분 살처분시키는 등 구조적인 문제로 인하여 애니멀호더의 문제가 더욱 심각해. 유기동물 양산으로 인한 문제의 한쪽 끝이 보호소에서의 무차별적인 살처분이라면 다른 쪽 끝은 처참한 환경의 애니멀호딩인 셈이야.

　이들 애니멀호더들은 국민임에도 불구하고 최소한 국민으로서 누려야 할 복지로부터 소외된 채 처참한 생활을 하고 있어. 이 문제는 정부가 유기 동물로 인해 발생하는 사회적 문제에 대하여 나 몰라라 외면하고 있는 것과 무관하지 않아. 정부가 유기동물 문제를 외면하는 동안 애니멀호더들이 유기동물들을 거둬들이고 있으니 말이야. 그러므로 애니멀호더들의 인간 다운 삶과 유기동물들의 동물복지를 위하여 정부의 총체적인 시각의 정책이 필요해. 먼저 유기동물의 양산을 막기 위해 동물등록제를 실시하여 쉽게 구입하고 쉽게 버릴 수 있는 현재의 풍토를 바꿔야 해. 또 개선된 유기동물보호소를 사회간접시설 차원에서 설치하고, 버려진 유기견들을 적은 비용으로 손쉽게 살처분하는 방식에서 탈피하여 비용과 시간이 들더라도 재입양시킬 수 있는 프로그램을 개발해야 해. 그러기 위해서 병행되어야 할 중요한 작업은 동물을 단지 인간의 소모품 정도로 생각하는 인식에서 공존해야 할 생명으로서 존중하는 의식을 함양시키는 일이란다.

2부
도시의 동물에 대하여

도시는 사람의 것일까

생명에게 있어서 자기의 생명을 유지하기 위한 공간을 차지하는 것은 중요한 일이자 당연한 권리입니다. 자연의 공간은 어느 한 생명만을 위한 것이 아니라, 많은 생명들이 함께 살아가기 위한 곳입니다. 하지만 우리의 도시를 보면, 사람을 제외한 생명들에게 이 원칙은 적용되지 않는 듯 보입니다. 사람들은 도시에서 모든 동물을 몰아내고 있습니다. 그 결과 오늘날 사람들이 거주하는 공간에는 아주 소수의 동물들만이 인간의 틈바구니 속에서 겨우 생명을 연명하고 있지요. 그중 하나가 바로 도시의 고양이들입니다.

길에서 사는 고양이를 보통 '길냥이'라고 부릅니다. 코숏(korean short hair)이라고 부르기도 합니다. 도시의 생태계에서 인간을 빼고 고양이의 천적은 없습니다. 그러다보니 늘어나는 고양이는 도시환경의 문제로 대두되고 있는 게 사실입니다. 도시 주변의 야산에서는 고양이 때문에 다른 종이

106

멸종 상태에 이르고 있다는 이야기도 있습니다. 서울 중심에 있는 남산 또한 과도하게 증식된 고양이가 다람쥐나 각종 새들을 무차별적으로 잡아먹어 생태계를 교란시킨다고 합니다. 예전에 이 문제를 해결하기 위하여 대대적으로 남산의 고양이를 포획하여 안락사시키려 했지만 동물보호단체의 강력한 반대로 무산된 적이 있습니다. 그럼 이렇게 고양이가 증식해서 생기는 문제를 해결할 수 있는 방법으로 무엇이 있을까요?

여기에서 중요한 것은 고양이도 사람 주변에서 살아가는 동물이라는 것을 인정하는 것입니다. 사람마다 취향에 따라 고양이를 좋아하는 사람도 있고 혐오하거나 두려워하는 사람도 있겠지만 개인적인 취향을 떠나서 고양이도 도시에서 살아가는 동물이라는 것을 인정하는 것이 중요합니다. 사람들 중에는 음식물 쓰레기봉투를 뜯어놓아 주변을 더럽게 한다거나, 고양이의 눈빛이 무섭다거나, 또는 울음소리가 징그럽다며 고양이들을 없애야 한다는 사람도 있습니다. 하지만 길냥이의 씨를 완전히 말려서 사람들 눈에 보이지 않도록 하겠다고 생각하지 않는 한 보이는 몇 마리의 고양이를 안락사시키는 것으로는 문제의 해결책이 될 수 없습니다. 고양이의 습성상 어딘가 빈자리가 생기면 다른 고양이가 그 자리를 다시 채우기 때문입니다. 그러므로 안락사시키는 방법은 음식물쓰레기나 울음소리 등의 문제 해결에 도움이 되지 않는다고 봐야 합니다.

이렇게 고양이를 우리와 살아가는 동물이라고 인정한 후에는 어떻게 공존할 수 있는지 모색해야 합니다. 사람도 불편을 덜 겪고 고양이도 나름의 소중한 생명을 유지할 수 있는 방법을 찾아나가야겠지요. 혹 이렇게 말하는 사람이 있을지도 모르겠습니다. 사람도 먹고살기 힘든데 무슨 고양이까지 챙겨야 하냐고 말입니다. 하지만 이 지구라는 곳이 사람에게만 주어진 공간이 아니라는 점을 되새겨야 합니다. 오늘날 기하급수적으로 늘어난 인

일본의 어느 공원에서 본, 사람과 편안하게 쉬고 있던 고양이들.

구는 땅을 독차지하고 다른 생명들이 살아갈 공간을 빼앗고 있습니다. 제레미 리프킨은 도시의 급격한 발전과 땅값의 폭등으로 도시 주변이 무질서하게 확대되는 현상을 '도시의 스프롤 현상(urban suburban sprawl)' 이라고 말했는데, 그로 인해 도시 주변의 야생 세계의 생태계가 지속적으로 잠식되고 그곳에 사는 생명체들은 멸종 위기에 처한다고 합니다.

인간만 단독으로 지구상에 존재할 수 없다는 것을 깨달아야 합니다. 다른 생명들이 있기 때문에 그 속에 우리 인간도 존재할 수 있는 거니까요. 그렇기에 불편하더라도 주변의 생명들과 어떻게 해야 함께 살아갈 수 있는지 고민해야 합니다.

생명문화탐방이라는 주제로 제2차 세계대전 당시에 두 번째 핵폭탄이 투하되었던 일본의 나가사키를 다녀온 적이 있습니다. 나가사키 곳곳에서 고양이가 눈에 띄더군요. 어느 공원에서는 고양이들이 벤치 주위에 모여서 한가로이 오수를 즐기고 있었습니다. 벤치에는 사람이 앉아 있는데 고양이들은 사람에 개의치 않고 편안하게 햇볕을 쬐고 있었습니다. 매우 평화로운 광경으로 기억됩니다. 우리나라에서는 볼 수 없는 광경이었기에 그 광경을 눈여겨보게 된 건지도 모릅니다. 그렇게 고양이들과 사람이 어우러져 있는 모습을 보기 힘든데 벤치 주위에 평화롭게 고양이들이 모여 있던 풍경이 참 보기 좋았습니다.

자연에는 무수히 많은 생명체들이 살고 있습니다. 이 생명들은 우리의 상상을 뛰어넘는 강한 생명력으로 지구 곳곳에서 살아갑니다. 그렇게 강한 생명력 덕분에 지구는 생명으로 가득 찬 초록별이 될 수 있었습니다. 이 생명은 들과 산뿐만 아니라 도시도 채우고 있습니다. 하지만 사람들은 당장 자신의 이익만을 생각하며 다른 생명을 다루고 있습니다. 그로 인해 도시에 살고 있는 많은 동물들이 녹록치 않은 삶을 살고 있습니다.

2부에서는 길냥이 문제를 포함하여 도시에서 살아가고 있는 동물들의 이야기를 나눠보려고 합니다.

1
길고양이와 TNR

세상의 빛을 보지 못하는 아기고양이들을 위하여

아빠, 그런데 오늘은 동물병원에 왜 이렇게 길고양이처럼 생긴 고양이가 많아요? 사람들이 좋아하지 않으니까 잡아다 놓은 건가요?

리준아. 길고양이들이 맞긴 하지만, 그런 이유 때문은 아니야. 네 말처럼 길고양이에 대한 인식이 전반적으로 좋지 않은 게 현실이지. 도시에서 살아가는 고양이들의 삶은 결코 순탄치 않단다. 고양이들은 끊임없는 인간의 위협 속에서 살아가고 있어. 얼마 전까지만 해도 발정이 난 고양이들의 울음소리가 듣기 싫다거나 쓰레기봉투를 뜯는다고 각 지자체에 민원을 넣으면 고양이들을 잡아다가 안락사라는 이름으로 죽였지. 하지만 지금은 TNR이라고 하여 포획을 한 후(trap) 더 이상 번식을 하지 못하도록 중성화수술을 시켜서(neuter) 다시 풀어준단다(return). 여기 있는 고양이들은 바로 TNR을 위해 중성화수술을 하려고 동물병원에 온 거야.

안락사든 TNR이든 고양이가 너무 많아지는 것을 막기 위한 거잖아요? 굳이 TNR로 변경한 이유가 뭐예요?

안락사와 TNR의 가장 큰 차이점이라면 우리가 생명을 어떻게 대하느냐 하는 관점의 문제라고 할 수 있어. 안락사는 우리가 보기 싫다고 죽여 없애는 것이지만, TNR은 우리가 조금 불편하더라도 길고양이들을 생명으로서 존중하고 같이 살기 위한 방법을 모색하는 거지. 그러나 어떤 측면에서 보면 TNR이 안락사에 비해 비효율적으로 보일 수도 있어. 안락사를 시키면 고양이가 바로 눈에 띄지 않게 되는데 TNR을 하면 고양이들은 그냥 그대로 있거든. 어둠 속에서 불쑥 나타날 수도 있고 쓰레기봉투를 계속 물어뜯을 수도 있다는 말이지. 또 TNR을 하면 수술을 해야 하니까 비용도 더 많이 들어가고.

그럼에도 불구하고 TNR 정책으로 변경한 이유는 역시 생명의 존엄성과 동물보호 차원에서 동물보호단체나 시민들의 문제 제기가 끊임없이 있었고, 또 하나는 고양이의 특성상 안락사가 길고양이들이 일으키는 문제를 해결하기 위한 실질적인 해결책이 될 수 없다는 인식 때문이란다. 영국의 야생동물학자인 로저 테이버(Roger Tabor)는 실험을 통해 실험지역에서 기존의 야생고양이 군락이 제거되면 주변에 있는 개체군들이 먹이를 찾아 비어 있는 그 지역으로 빠르게 유입되어, 또 다시 개체수가 증가하게 된다는 것을 밝혀낸 바 있어. 이것을 '진공효과'라고 해. 그러니 어떤 곳에서 문제를 일으키는 고양이를 잡아서 안락사 시키거나 다른 곳으로 보내봤자 얼마 지나지 않아 또 다른 고양이가 유입되므로 문제 해결에 전혀 도움이 되지 않는다는 뜻이지.

농촌에서도 이와 비슷한 사례를 볼 수 있는데, 까치 문제가 이에 해당돼.

햇볕을 쬐고 있는 TNR 한 고양이. TNR의 표시로 한쪽 귀 끝이 잘려 있다. TNR은 사람들과 더불어 살아가기 위한 과정이다.

옛말에 아침에 까치가 울면 손님이 찾아올 거라며 까치를 길조로 여겨왔지만, 농촌에서는 까치가 사과나 배와 같은 과일을 파먹어서 골칫거리인 거야. 그래서 피해를 줄이려고 까치들을 없앴는데 문제가 해결되지 않았단다. 고양이와 마찬가지로 까치도 자기 영역이 있는 동물이거든. 자기 영역에 다른 까치가 들어오지 못하게 막지. 그런데 한 영역의 까치를 모두 없애니 어떻게 됐겠니? 전에는 몇 마리만 쪼아대던 것이 이제는 사방팔방의 까치들이 몰려와서 더 큰 손해를 보게 된 거지. 이로써 한번 자리를 잡은 까치를 없애는 것은 농사에 도움이 되지 않는다는 것을 알게 되었어. 고양이도 마찬가지란다. 그래서 살고 있는 길고양이를 죽이지 않고도 사람들의 불편까지 해소할 수 있는 합리적이고 긍정적인 방법으로 TNR이 제시된 거야.

　TNR이 주는 이점은 첫째 발정을 하지 않게 되어 발정기에 나타나는 소음 공해를 일으키지 않고, 둘째 개체수의 급격한 증가를 차단하여 먹이 부족으로 쓰레기봉투를 뜯는 문제가 해결되며, 셋째 번식을 억제함으로써 일정한 개체수 유지로 생태계 구조가 안정되고, 넷째 길고양이의 수가 감소되어 로드킬과 같은 문제를 감소시키지. 다섯째 원래 있던 고양이를 중성화수술 후 살던 곳에 방사시킴으로써 다른 고양이가 급속하게 유입되는 것을 방지할 수 있어. 여섯째 늘어나는 고양이와 그에 따른 민원의 해결을 위해 각 지자체가 지불하던 비용을 장기적인 측면에서 감소시킬 수가 있어.

이렇게 TNR은 여러 가지 측면에서 유용한 정책이란다. 그리고 가장 중요한 것은 살아 있는 생명을 인간의 편익만을 위하여 안락사시키는 반생명적인 행위를 중단할 수 있다는 거야. 단기적으로 보면 안락사 등의 방법으로 없애버리는 것보다 효과가 없을 것 같지만, 장기적으로 보았을 때 길고양이의 개체수 감소 효과가 뚜렷한 방법이란다.

그런데 TNR을 진행하되 고려해야 할 사항이 있단다. 추운 겨울은 피해서 진행해야 해. 추운 겨울에 중성화수술을 한 후 고양이를 방사할 경우 환경에 제대로 적응하지 못하고 죽는 경우가 있기 때문이야. 그래서 TNR을 실시하는 동물보호단체나 지자체에서도 추운 겨울에는 TNR을 실시하지 않고 날씨가 따뜻할 때에만 실시하고 있어.

TNR이 안락사보다 생명을 위하는 측면에서 낫다고 해도, 생명에게 불임수술을 하는 것도 그다지 생명을 위하는 일이라는 생각은 들지 않아요. 꼭 중성화수술을 해야 하나요?

리준아, 너의 말대로 생명이 있는 동물의 생식 능력을 임의로 조절하는 것은 최선의 방법은 아닐 거야. 그러나 인간과 함께 같은 공간에서 살아가기 위해 어쩔 수 없이 선택하는 차선책이라고 할까? 이렇게 할 수밖에 없는 또 하나의 큰 이유는 고양이의 엄청난 번식력 때문이란다.

고양이는 1년에 여러 번 발정을 해. 고양이의 임신 기간은 60일 정도인데 많은 경우 1년에 4~5번 정도 임신을 할 수 있어. 또 1회에 출산하는 아기고양이는 평균 4~5마리야. 이렇게 따지면 한 마리의 고양이가 1년에 낳을 수 있는 아기고양이 수는 20마리 가량이야. 어린 고양이는 빠르면 생후 7개월 정도부터 발정을 시작하고 또 임신을 할 수 있으니 그 수는 기하급수적으로 늘어날 수 있다는 거지. 충분한 음식과 공간만 확보된다면 한 마리의 암고양이가 12년 동안 최대 3,200마리로 증가할 만큼 번식력이 뛰어나단다.

유기견 보호소 이야기를 할 때 처음에는 30마리 정도였던 것들이 자기들끼리 짝짓기를 하고 그러더니 3~4년 만에 200마리 가까이 늘어났다는 말을 했잖니. 중성화수술이라는 것을 몰라서 그렇게 된 거야. 고양이들도 천적이 없는 상태에서 그냥 방치하게 되면 개체수가 늘어나면서 이런 저런 많은 문제가 생기게 된단다. 이러한 문제를 해결할 수 있는 대안으로 제시된 것이 TNR이야.

아빠, 지금 동물병원에 새끼와 같이 있는 고양이도 TNR로 온 고양이에요? 중성화수술 하러 왔다가 아기를 낳은 건가요?

그렇단다. 고양이가 번식력이 강하다고 말했지? 이 사실은 TNR을 하기 위하여 포획되어 온 암컷 고양이들을 봐도 알 수 있단다. 포획되어온 암컷 중에 많을 때에는 80% 이상, 적을 때에는 40% 정도가 임신을 한 상태야. 그 임신한 태아의 상태는 아주 초기인 경우부터 낳기 직전인 경우까지 다양해. 이렇게 임신한 대부분의 고양이들 또한 TNR의 대상이 된단다. 포획을 할 때 고양이가 임신을 했는지 하지 않았는지 알 수가 없으니 말이야.

길고양이들은 포획틀로 잡거든. 포획틀에 갇힌 고양이들은 매우 긴장된 상태로 웅크리고 사람을 극도로 경계하기 마련이야. 그러한 상태에서는 성별을 구분하는 것과 같은 간단한 진료조차 쉽지 않아. 그래서 일단은 마취를 한 후 진료를 해. 이번에 포획되어 온 네 마리의 고양이들도 힘들게 마취를 하고 진료를 시작했는데, 수컷이 한 마리이고 암컷이 세 마리였어. 암컷을 초음파검사 해보니 그중에 한 마리가 임신을 했더구나. 뱃속 새끼의 심장 크기가 16㎜나 될 정도로 많이 큰 상태였지. 엑스레이 촬영을 해보니 커다란 새끼가 5마리나 뱃속에 들어 있었어. 분만할 때가 얼마 남지 않았다는 생각에 임신한 고양이는 놔두고 다른 고양이들만 중성화수술을 했단다. 수술한 고양이들이 회복하기 위해 병원에 입원하고 있던 사흘째 되는 날에 임신한 고양이가 새끼를 낳기 시작했어. 원래 낳을 때가 되어서인지 아니면 스트레스 때문에 조금 일찍 낳은 것인지는 알 수 없었지. 고양이는 건강한 새끼를 네 마리 낳았단다. 한 마리는 양막이 벗겨지지 않은 상태로 죽어 있었어. 갇혀 있는 상태에서 새끼를 낳다보니 스트레스 때문에 새끼를 잘 돌보지 못한 것 같았어. 미안한 일이지.

아빠, 이 어미고양이와 새끼고양이도 다른 고양이들처럼 원래 자리로 돌려보내나요?

어미고양이와 새끼고양이들을 그대로 포획했던 곳으로 돌려보낸다면 새끼고양이들이 제대로 살 수 있을지 매우 걱정스러운 상황이야. 그래서 KARA에서 급히 수소문을 하여 어미고양이와 새끼고양이를 돌봐줄 임시보호자를 구했단다. 어미고양이와 새끼고양이는 거기로 보내기로 했어.

2
재개발과 북한산 주변의 개들

왜 개들이 산으로 갔을까

아빠, 길에 사는 고양이뿐만 아니라 산에 있는 개들도 문제가 되지 않나요? 얼마 전에 북한산 유기견 문제가 방송에 나온 적이 있잖아요. 그때 아빠도 방송 촬영에 섭외되었는데, 많이 망설였다면서요. 왜 그러셨어요?

TV 방송 프로그램에서 북한산 유기견과 관련된 방송을 준비하고 있다며 출연 섭외가 들어와서 촬영 현장을 다녀왔단다. 촬영은 북한산 선림사 주변과 불광사 주변에서 북한산 국립공원 관리공단 직원과 동행하여 이루어졌어.

인터뷰는 주로 북한산 유기견으로 인해 발생되는 문제점들에 대하여 관리공단 직원이 응했고, 아빠에게는 개의 상태에 대해 몇 가지 물어보는 것으로 진행되었지. 촬영 전날 인터뷰 질문지를 받았는데, 질문지의 내용이 광견병이나 피부병과 같이 유기견으로부터 사람에게 옮겨질 수 있는 질병들이 무엇이 있는가 하는 것들이었어. 개로부터 사람에게 옮겨질 수 있는 인수공통질병은 여러 가지가 있단다. 그중에는 물론 사람들에게 치명적인 상태를 야기하는 질병들도 있지.

질문지를 받고 인터뷰에 응해야 하나 망설여졌단다. 왜냐하면 그러한 질병에 대한 이야기를 방송에 나가서 할 경우, 사람들은 '어느 수의사가 그러는데 유기견에게 물리면 이런 저런 심각한 병에 걸릴 수도 있대' 라는 생각을 하게 될 것이기 때문이야. 사람들은 보통 그런 내용의 방송을 접하면, 유기견은 위험한 동물이고 사람의 안전을 위해서 반드시 없애버려야 한다는 고정관념을 갖기 쉽단다. 그게 방송의 힘이지. 아빠는 사람들이 주변의 동물들과 조금 불편하더라도 같이 살 수 있는 방법을 모색했으면 좋겠는데 그것과 반대로 유기견에 대하여 부정적인 생각을 강화시키는 내용일까봐 꺼렸던 거야.

아빠는 방송국에서 섭외가 왔다고 해서 기존의 방송 방향과는 다른 시각에서 접근하는 방송이길 바랐어. 그냥 북한산 유기견이 야기할 수 있는 문제라면 이미 방송된 것도 많고 또 질병과 관련되어 이야기해줄 수의사들은 많으니까. 그런데 기획안을 들여다보니 그다지 다를 것이 없더라고. 그래서 유기견에 대하여 부정적인 이미지를 줄 수 있는 인터뷰는 하지 않겠다고 말했지. 덧붙여 지금 우리가 고민해야 할 것은 다른 생명들과 불편하더라도 어떻게 더불어 살 것인지를 고민해야 할 때라며 그런 쪽으로 방송 방향이 맞추어졌으면 좋겠다고 바람을 전했단다. 그런 이유 때문에 출연을 망설였던 거란다.

아빠, 그런데 왜 개들이 산에서 살아요?

118

북한산 바위 동굴에서 발견된 어린 강아지와 주위를 서성거리던 어미 개.

그 개들은 인근 지역에 뉴타운 공사가 진행되면서 사람들이 버리고 간 개들인데, 애초부터 북한산에 버린 것은 아니란다. 처음에는 동네에 남겨졌는데 싫어하는 사람도 많고 구청이나 보신탕집에 팔아먹으려고 잡으러 다니는 사람들이 많다 보니 개들은 어쩔 수 없이 생존을 위해서 산속으로 들어가게 된 거야.

재개발이 되면 기존의 집들은 없어지고 고가의 아파트가 세워지는데, 그곳에 살던 원주민 대부분은 얼마 되지 않는 보상금으로 새로 지어지는 고가의 아파트에 들어갈 형편이 되지 않아. 그래서 입주권을 외지인에게 팔고 떠난단다. 통계적으로 원주민이 재입주하는 비율은 20%도 되지 않는다고 해. 그렇게 살던 곳을 떠나는 원주민들은 가진 돈에 맞추어 살 집을 구하다 보니 점점 더 서울 외곽으로 밀려나게 되는데, 개까지 데리고 갈 수가 없는 거야.

경제적으로 힘이 없는 사람들이 산비탈에 모여서 마을을 이루고 사는 곳을 달동네라고 한단다. 달이 가까워서 그렇게 지은 것일까? 하여튼 달동

재개발이 되는 동네에 가보면
집 없는 개들이 무리를 지어 다니는 풍경을
흔히 볼 수 있다.

네에서 도둑을 지키는 데 가장 큰 힘이 되어준 것은 개였단다. 그러다 보니 달동네에는 한 집 건너 한 마리씩 개를 키웠어. 그런데 이사를 가면서 털복숭이 개까지 데리고 가기 곤란해지자 버리고 가는 거야. 그래서 재개발이 되는 동네에 가보면 집 없는 개들이 무리를 지어 다니는 풍경을 흔히 볼 수 있단다. 하지만 이 개들도 본격적으로 재개발이 진행되면 누군가에 의해서 어느 순간 사라져버리지.

버려진 불쌍한 개들인데, 방송을 보면 굉장히 위험하다면서 없애야 된다고 하던걸요. 왜 그렇게 말하나요?

북한산 유기견과 관련된 뉴스는 언론들이 대부분 한 번씩은 다루었단다. 인터넷에서 '북한산 유기견'을 검색해보면 비슷비슷한 내용을 담은 기사들을 많이 찾을 수 있어. 그 대부분은 제목부터가 '등산객 위협하는 북한산 유기견 포획', '북한산 무법자', '들개가 된 유기견을 잡아라', '북한산 들개의 습격', '유기견의 위험'과 같이 매우 자극적이야.

북한산 유기견을 없애야 한다고 주장하는 이유는 크게 두 가지란다. 하나는 등산객의 안전 문제이고 다른 하나는 북한산 생태계 보전 때문이라고 말하지. 이외에도 유기견들이 계곡 물을 마시고, 몸을 담그고 하는 과정에서 사람들이 마시는 약수까지 오염될 가능성이 있다는 우려도 있단다.

먼저 북한산 유기견을 없애야 한다는 첫 번째 이유로 제기된 등산객의 안전 위협부터 살펴보자꾸나. 관련 기사들을 보면 천편일률적으로 유기견들이 등산객을 위협한다고 되어 있단다. 정말로 유기견들이 등산객을 위협하는지 궁금해서 TV 프로그램 촬영차 동행했을 때 등산객들에게 물어보았지. 의견은 둘로 나뉘어지더구나. 한쪽은 등산길에서 유기견 무리를 만나면

오싹해진다며 위협을 느꼈다고 했고, 또 다른 의견은 유기견들이 오면 먹을 것을 좀 주곤 하는데, 다 배 고파서 그러는 건데 왜 없애려고 하는지 모르겠다는 의견이었어. 어떤 아주머니는 유기견 중 친하게 지내는 개가 있는데 그 개가 잡혀가면 무척 슬플 것 같다고 말하기도 했어. 유기견에 대한 등산객들의 이야기를 들어보니 모두 제각각인 거야. 그렇게 다양한 의견들이 있는데 방송국에서는 그중에서 위협적이라는 내용만 방송으로 내보낸 거지. 이러한 언론의 보도가 과연 객관적이라고 할 수 있는지 의문이 들었단다.

위협을 느낀다는 건 무척 주관적인 거야. 이렇게 한번 생각해볼까? 만약 이웃에 험상궂게 생긴 사람이 있다고 하자. 그 사람은 아무런 행위도 하지 않았는데 내가 그로부터 위협을 느꼈다며 그 사람을 사회와 격리시켜야 한다고 주장한다면 그것이 바람직한 일인지 말이야. 아빠는 유기견들이 사람을 위협한다는 언론 기사를 보며 서부개척시대의 인디언이 생각났단다. 당시 서부개척시대의 기록을 살펴보면 인디언들이 마을을 습격하여 파괴하고 약탈했다는 기사들이 자주 등장해. 존 포드의 「역마차」(1939)나 「수색자」(1956)를 비롯한 수많은 서부개척시대를 배경으로 한 영화에서도 인디언들이 마을을 습격하고 약탈하는 장면이 나와. 그런 영화를 보던 어린 시절에는 정말로 인디언들은 무법자, 약탈자이고 잔인하다고 생각했지. 하지만 어른이 되어 서부개척시대의 역사를 제대로 알게 되면서 인디언들이 약탈자가 아니라는 사실을 알게 되었단다. 오히려 인디언들은 인구의 90%까지 살육당하고 그들이 살던 지역에서 쫓겨난 피해자들이었던 거지. 하지만 미국의 주류 언론이나 매스미디어는 그들을 가해자로 왜곡시켰단다.

오늘날 인류의 야생동물을 대하는 태도 또한 이와 다를 것이 없다고 생각해. 얼마 전 세계야생동물기금협회(WWF)에서 발표한 '살아 있는 지구' 보고서에 의하면 1970년부터 2010년까지 육지와 바다, 강에서 서식하는 야생동물 3,038종, 1만여 개체를 추적 조사한 결과 야생동물의 52%가 줄어든 것으로 나타났어. 그에 비해 인류는 끝없이 증가하고 있지. 야생동물은 인간에 의해서 멸종되어가고, 인류는 야생동물이 머물 서식지를 빼앗으면서 증가하고 있다는 것이 객관적인 사실이야. 그럼에도 불구하고 언론은 멧돼지나 고라니, 유기견이 일으킨 소수의 사례를 이슈화시키면서 이들 야생동물이 사람들에게 피해를 입히고 있다고 이야기한단다.

언론에 비친 유기견에 대한 선입견을 버리고 다시 북한산 유기견을 살펴보자꾸나. 아빠가 방송을 촬영하러 갔던 날 어느 바위 동굴에 강아지가 있는 것을 발견했어. 그 강아지를 잡아서 어떻게 하는 것이 좋을까 의논을 하고 있는데 그때 누런 어미 개가 나타났지. 어미 개는 낯선 사람이 자기 새끼를 만지는데도 불안한 눈빛으로 주변을 서성거리기만 했단다. 사람들이 두렵기 때문이야. 이들 유기견들은 살아오면서 사람들로 인하여 너무나 많은 상처를 받아왔기에 웬만하면 사람들과 마주치지 않고 살아가고 싶어 해. 하지만 먹을 것이 없기 때문에 어쩔 수 없이 사람 주변을 서성거리는 거야.

많은 뉴스들이 "유기견들이 등산객을 위협한다"라고 쓰고 있는데, 아빠는 그것은 사실이 아니라고 말하고 싶단다. 유기견들이 등산객을 위협한게 아니라 '등산객들이 유기견들로부터 위협을 느꼈다'가 더 맞는 표현이 아닐까 생각해.

다음은 생태계 파괴 때문이라는 주장에 대해서 살펴보자꾸나. 유기견이 북한산 생태계를 파괴한다는 사람들은 북한산에 유입되는 유기견들이 다람쥐 같은 설치류나 새, 작은 포유류를 잡아먹고, 또 이들의 산란을 방해하여 북한산 생태계를 파괴한다고 주장한단다. 당장 개떼들로 인한 생태계 교란이 크게 나타나지 않는다 하더라도 예측할 수 없는 위험을 사전에 막기 위해서 개떼들을 북한산에서 몰아내는 것이 타당하다고 주장한단다. 그들은 그 주장의 근거로 세계자연보전연맹(IUCN)의 「도입종 및 침입종에 의한 생태계 다양성 상실을 방지하기 위한 지침(IUCN information paper, 2000)」을 들고 있어. 그 내용을 보면 "대부분의 도입종이 토착 생물의 다양성에 끼치는 영향은 예측할 수가 없으므로, 모든 생물종의 의도된 도입과 무의식적인 도입을 막거나 확인하는 노력들은 예방적 차원에서 수행되어야 한다. 또한 도입종이 해가 없다는 합리적인 사실이 없다면, 모든 도입종은 해로울 것으로 간주하여야 한다." 라는 거야.

생태계란 붙박아 사는 동물들뿐 아니라 이동하거나 잠시 들어왔다 나가는 동물들까지도 포함한단다. 북한산의 생태계에서 도입종이란 그러한 생태계에 포함되어 있지 않던 종, 예를 들면 블루길이나 황소개구리, 가시박과 같은 종을 이야기하는 것이지 들고양이나 산 주위 동네에서 산을 오르내리던 개들을 도입종이라고 할 수는 없지.

북한산 생태계를 망가뜨리는 것은 이들 동물들이 아니야. 생태계란 어느 한 곳만 떼어내어 생각할 수 있는 것이 아니라 주변과의 관계 또 그곳에 머무는 생명들과의 관계를 이야기하는 거야. 그런 측면에서 보면 북한산 주변을 난개발한 것이 북한산 생태계를 망가뜨리는 원인이 되겠지. 그로 인해 유기견이 늘어난 것이고. 이런 의미에서 북한산 유기견은 생태계의 파괴자나 도입종으로 볼 것이 아니라 주변 생태계의 변화로 파생되어진 하나의 변화로 보는 것이 타당하단다. 생태계란 고정된 것이 아니라 항상 주위와의 관계 속에 변화하기 때문이야.

아빠는 유기견으로 인해 북한산 생태계가 파괴된다는 주장이 타당한 것인지 따져볼 필요가 있다고 생각해. 건강한 생태계의 기본은 종의 다양성이란다. 북한산에서는 눈을 씻고 찾아봐도 네발 달린 동물을 찾기가 힘들어. 이런 북한산이 건강한 생태계일까? 멧돼지나 유기견 몇 마리가 있는데

이 동물들 때문에 등산객이 위협을 느낀다며 없애야 한다고 하는 것이 건강한 생태관일까?

단지 사람들이 불편하다는 이유로 동물들을 제거하는 것에 대해서 많은 생각을 해봐야 한단다. 우리 인류는 자신의 편익만을 위하여 자연의 생명들을 마구 대하면서 생태계를 엄청나게 파괴하고 있지. 실제로 우리의 지구는 인간의 생태계 파괴로 인하여 수많은 생명들이 힘들게 살아가거나 멸종되고 있어. 오늘날 인류의 생태계 파괴로 인하여 매년 3만 종의 생명이 사라지고 있다고 해. 엄청난 숫자지. 그래서 리처드 리키라는 학자는 지금 우리는 제6의 멸종기를 살아가고 있다고 이야기한단다. 오래 전에 있었던 멸종기는 지구가 혹성에 부딪혀서 발생했는데 지금은 인류가 다른 생명을 마구 대하면서 발생하고 있는 셈이지. 지구의 모든 생명은 따로 떨어져 사는 것이 아니라 유기적인 관계 속에서 존재해왔지. 다른 생명이 없는 상태에서는 인간 또한 생존할 수 없단다. 그렇기에 지금 우리는 다른 생명들 특히 다른 동물들과 어떻게 더불어 살 것인가를 고민해야 한다고 생각해. 그런데 우리는 우리에게 조금만 불편하면 어떻게든 없애려고만 생각하고 있어.

생태계에 대한 이야기를 들으니 북한산 유기견의 문제를 너무 표면적으로 보지 말아야겠다는 생각이 드네요. 그래도 산속에서 커다란 개와 만나면 솔직히 좀 무서울 것 같긴 해요. 뭐 좋은 해결책이 없을까요?

내가 아닌 다른 누군가와 같이 더불어 산다는 것은 쉬운 일이 아니란다. 하다못해 부모 자식 간에도 그렇고 부부 사이에도 그렇고 친구 사이에도 함께 살아간다는 것은 쉬운 일이 아니지. 다만 불편한 부분이 있어도 서로 이해하려고 노력하고 배려하는 가운데 같이 살아가는 방법을 찾아가는 거

126

지. 사람 사이에도 그러한데 사람과 다른 종이 같이 살아가려면 불편한 점이 있을 수밖에 없지 않겠니. 그래도 상대가 불편하다고 해서 없애려고 하는 것은 바람직한 방법이 아니겠지. 더불어 살기 위해서는 서로 이해하고 원만한 관계를 가질 수 있도록 노력해야 한단다.

북한산 유기견 문제를 해결하기 위한 가장 바람직한 방법은 먼저 유기견이 발생하지 않도록 하는 것이야. 이미 발생한 유기견은 실질적인 위해를 끼치지 않았다면 변화된 환경의 모습으로 살아가도록 두는 거지. 물론 등산객을 공격하는 등 문제가 발생한다면 그 개체에 대하여 적절한 조치를 취해야 하겠지만, 어떤 문제가 발생할지 모른다며 모든 유기견을 제거하려고 하는 것은 행정 편의주의적인 발상이 아닐까 염려된단다. 그리고 사람들 중에는 유기견을 포획한 후 동물구조협회에 넘기면 되지 않냐고 이야기하는데, 그것은 책임 회피 그 이상도 이하도 아니야. 앞에서 살펴봤듯이 동물구조협회에 넘겨진 유기견들은 대부분 안락사되기 때문이지. 등산객의 안전을 고려하여 꼭 유기견을 포획해야 한다면 포획한 유기견을 어떻게 관리할 것인지 방안을 마련한 후에 포획해야 해. 방안은 지속적으로 돌볼 수 있는 유기견보호소를 만들어놓고 포획해야 한다고 생각해. 이것저것 준비해야 할 것이 적지 않고 번거로운 일도 많지만 소중한 생명을 다루는 일이기에 그러한 번거로움쯤은 감수해야겠지. 지금과 같이 보기에 불편하다고 잡아서 쉽게 없애버리는 방식은 반드시 벗어나야만 해.

그리고 실제로 유기견들은 그다지 사람들에게 공격적이지 않아. 배가 고프니까 사람 주위로 왔다가 먹을 것을 주면 조심스럽게 물고 빨리 산속으로 들어가버리지. 언론은 더 이상 과장된 표현으로 다른 생물 종을 괴물로 만들지 말아야 해. 오히려 사람들과 유기견들이 원만한 관계를 형성할 수 있도록 역할을 해줘야하지 않을까.

3
번식장과 경매장의 개들

동물보호법 사각지대

아빠, 애견센터에 가면 강아지가 정말 많잖아요? 그렇게 많은 강아지가 어디에서 오는 건가요?

요즘은 많은 사람이 강아지를 키우고 싶어 하잖니. 강아지를 키우고 싶어 하는 사람이 늘어나는 만큼 판매되는 강아지들도 많아지고 있어. 서울에서 강아지를 판매하는 애견센터가 많은 곳은 퇴계로야. 그곳에 가면 애견센터마다 진열장에 다양한 종류의 어린 강아지들이 진열되어 있지. 정말 그렇게 많은 강아지들이 어디에서 오는 걸까?

사람들 중에는 그렇게 애견센터에서 구입한 강아지가 병이 들어 구입한 지 며칠 지나지 않아 죽어버리는 아픈 경험을 한 사람도 많아. 그러다보니 애견센터에서 강아지를 구입하는 것보다 가정 분양을 원하지. 가정 분양이란 집에서 키우던 개가 임신을 해서 낳은 새끼를 분양할 때를 이르는 말이

쉽게 구입한 강아지들은 쉽게 버려져 유기견 문제를 심각하게 만들고 있다. 유기견보호소에 보호되고 있는 개들.

야. 똑같이 어미개가 낳은 건데 가정 분양을 선호하는 이유는 아무래도 집에서 키우는 개가 더 위생적으로 자라고 더 튼튼할 거라고 생각하기 때문이야.

퇴계로뿐만 아니라 요새는 인터넷에서도 강아지 매매가 많이 되고 있는데 그곳에서 판매하려고 내놓은 강아지들도 거의가 가정 분양이라고 되어 있어. 하지만 사실은 그런 강아지 대부분은 번식장(Puppy mill)에서 태어난 강아지들이야. 인터넷뿐만 아니라 애견센터에서 판매하고 있는 강아지들도 거의 대부분이 번식장에서 태어난 강아지라고 생각하면 돼.

이 번식장의 유일한 목표는 강아지를 팔아서 최대의 이윤을 남기는 거야. 그래서 그런 곳은 투자를 최소로 하기 때문에 시설이 무척 열악해. 대부분이 비닐하우스에 좁은 철망장을 쌓아 그곳에 어미 개를 가두어놓고 키우면서 새끼를 낳게 해. 어미 개들은 1년에 두 번 생리를 하는데 그때마다 교배를 시켜 새끼를 낳게 해. 완전히 강아지 낳는 기계 취급을 받는 거지. 운동을 시켜준다거나 이빨을 닦아준다거나 하는 일은 결코 없단다. 좁은 곳에 갇혀서 주는 사료만 먹고 새끼 낳는 일만 하는 거야. 좁은 비닐하우스는 청소도 제대로 되어 있지 않고 환기도 되지 않다 보니 냄새도 심하게 나고 여름에는 덥고 겨울에는 추워. 그러다보니 어미의 몸은 쉽게 망가져 5~6년이 넘어가면 새끼를 낳을 수가 없게 돼. 쓸모가 없어진 어미 개들은 보신탕집에 팔려간단다. 이 동물들은 오로지 인간의 이익을 극대화하기 위해 존재할 뿐 그 과정에서 받는 고통은 완전히 무시된단다.

애견 번식장에 대해서 MBC PD수첩에서도 다룬 적이 있는데 그때 경매장 풍경도 나왔어. 보통 경매장은 강아지를 경매하는데, 나이든 개를 경매하는 광경도 나왔지. 그곳에서는 나이가 들어 더 이상 종견의 역할을 하지 못하는 골든 리트리버나 시베리안 허스키, 세퍼드와 같이 덩치가 큰 대형견들이 경매되고 있었어. 이렇게 나이든 대형견들이 왜 경매되는 것일까? 나이가 든 커다란 개를 키우고 싶은 사람들이 사가는 것일까? 그런데 우리나라에서 나이 들어 여기 저기 아프기 시작하는 커다란 개를 돌보며 살겠다고 사가는 사람들은 거의 없어. 그럼 이 커다란 개들은 어디로 가는 걸까?

KARA에서는 그 경매장에서 주기적으로 대형견들을 경매해가는 경매자를 추적한 적이 있단다. 그는 경매장에서 몇 만 원씩에 구입한 '폐견' 들을 서오능 옆에 차려놓은 작업실로 데려가서 자신이 만든 전기도구로 감전을 시켜서 도살했어. 그 과정에서 개들은 극심한 고통을 받으며 비명을 질렀고, KARA는 지역동물보호센터 직원과 동물보호감시원에게 연락을 했지. 하지만 그들의 반응은 그저 "개도살은 불법이 아니며, 잔인한 개도살의 증거가 있으면 경찰에 신고하라", "안타깝지만 이게 현실이며, 아무것도 해줄 것이 없다"고 안타까워만 할 뿐, 아무런 대책을 제시하지 못했다고 해. 그러는 사이에 몇 마리의 개들이 도살자에 의해 죽었단다. 개가 매일 고통스러운 죽음을 당하는 것을 확인했지만 그것을 현실적으로 막을 방법은 없었던 거지.

우리나라에도 분명 '동물보호법'이 존재해. 이 동물보호법 제1조에 동물보호법의 목적이 명확히 나와 있어.

제1조(목적) 이 법은 동물에 대한 학대 행위의 방지 등 동물을 적정하게 보호·관리하기 위하여 필요한 사항을 규정함으로써 동물의 생명 보호, 안전 보장 및 복지 증진을 꾀하고, 동물의 생명 존중 등 국민의 정서를 함양하는 데에 이바지함을 목적으로 한다.

우리는 눈앞에서 동물이 전기기구에 의해 고통스럽게 죽임을 당하고, 분명 동물보호법이라는 법이 있지만 현실에서는 고통을 당하는 동물에게 전혀 도움을 주지 못하고 있음을 확인하게 된단다.

아빠, 그 사람들은 왜 강아지도 아니고 다 늙은 개를 사서 그렇게 죽여요? 그것도 아주 고통스럽게요.

이유는 간단하단다. 개를 그냥 돈벌이 수단으로만 보기 때문이야. 바로 육견으로 팔기 위해서야. 보신탕 말이야. 번식장의 열악한 환경에서 매년 새끼를 낳다가 더 이상 새끼를 낳을 수 없게 된 개들은 바로 보신탕용으로 판매가 된단다. 보신탕용으로 판매되는 개는 종류를 가리지 않아. 도사와 같이 커다란 개들은 말할 것도 없고 코커스패니얼 같은 중간 크기의 개들도 보신탕용으로 팔리고 심지어 요크셔테리어나 치와와같이 조그만 개들도 보신탕용으로 쓰이지. 돈만 된다면 종류를 가리지 않아. 아마 먹는 사람들은 그런 사실을 모르니까 먹는 거겠지.

4
보신탕 문제

왜 개고기만 안 되는가

반려견까지 보신탕으로 먹다니 정말 꺼림칙해요. 동물들 중에서도 유독 개는 반려동물과 식용의 경계가 모호한 것 같아요.

임순례 감독이 촬영한 영화 「소와 함께 여행하는 법」을 보면 누렁이라는 누런 개가 한 마리 등장한단다. 개 이름 짓는 게 딱 아빠 스타일이야. 누런 개는 누렁이라고 부르는 것이 말이야.

누렁이는 시골 마을을 다니다보면 마당에 한 마리씩 키우는 그런 누런 개야. 사람들은 그런 개들을 키우다가 복날이 되면 잡아먹거나 개장수에게 팔아서 용돈을 하지. 누렁이가 살던 곳은 강원도 영월의 산골이었대. 누렁이를 키우던 할아버지는 매년 강아지 한 마리를 5만 원에 사다가 키워서 다음 해 복날이 다가오면 장에 15만 원에 내다 팔아 용돈을 하셨다는구나. 누렁이도 그렇게 키우던 개를 복날 장에 내다 팔고 사온 개였어. 이런 누렁이

누랭이와 임순례 감독.

의 삶에 커다란 변화를 일으킬 사건이 일어났지. 바로 임순례 감독이 촬영한 영화 「소와 함께 여행하는 법」에 출연하게 된 거야. 이 영화는 김도연 작가의 동명 소설을 영화로 만든 작품인데 소를 팔러 나갔다가 허탕을 친 한 남자가 소와 함께 여행을 떠나는 줄거리야.

　누랭이는 이 영화의 배경으로 나오는 집에 소와 함께 살고 있었는데, 그 인연으로 영화에도 함께 출연하게 됐지. 임순례 감독은 처음에는 연기를 잘하는 개를 출연시킬까도 고려했다는데 시골의 분위기를 살리기 위해서 시골에서 흔히 볼 수 있는 누렁이를 출연시켰다고 하네. 처음 촬영을 시작할 때에는 과연 누랭이가 많은 촬영진과 밝은 조명이 비춰지는 낯선 상황에서 주어진 역할을 잘 해낼 수 있을까 걱정도 됐지만 의외로 잘 소화해냈대.

　문제는 영화 촬영이 끝났을 때였어. 임순례 감독은 누랭이를 그곳에 두면 그해 복날을 넘기지 못할 것이 걱정이 되었던 거야. 영화를 찍는 동안 즐거운 시간을 함께했고 그 사이 정이 쌓인 누렁이가 복날 보신탕이 되는 것을 방치하면 앞으로 영화를 볼 때마다 두고두고 마음이 편치 않을 것 같던 거야. 그래서 어떻게 할까 고민하다가 누렁이를 사서 돌봐줄 사람을 구하여 입양을 보내기로 했어. 그 과정도 쉽지는 않았지만 몇 사람의 도움으로 다행히 누렁이를 돌봐줄 사람을 찾았다더구나.

누렁이는 행운의 강아지인걸요. 그런데 아빠, 사람은 원래 고기도 먹고, 채소도 먹잖아요. 그런데 왜 동물보호단체에서는 소고기나 돼지고기를 먹는 것에 대해서는 특별히 반대하지 않으면서, 개고기는 먹으면 안 된다고 하나요?

리준아, 이 문제를 이야기하기에 앞서 우리가 알아야 할 것은 동물보호단체에서는 동물과 관련된 다양한 활동을 한다는 점이야. 동물보호단체는 개고기만 반대하는 단체가 아니라, 동물과 관련된 많은 문제에서 동물들의 고통을 덜어주기 위하여 노력을 하고 있어. 좁은 수족관에 갇혀서 고통 받고 있는 돌고래를 그들이 살던 바다로 돌려보내는 활동을 하고, 쇼를 하기 위하여 폭력을 당하는 원숭이들을 위해 쇼를 금지시키기 위한 활동도 하지. 또 길고양이들이 학대당하는 것을 막고 사람들과 함께 살 수 있는 방법을 모색하고, 좁은 우리에 갇혀서 사육되고 있는 가축들을 덜 고통스러운 환경에서 사육될 수 있도록 노력하고 있어. 물론 다양한 방식으로 동물을 이용하여 이익을 얻는 사람들이 그 이익을 양보하기 꺼려하기 때문에 현실적으로는 목적하는 바를 쉽게 이루지 못하고 있는 것도 사실이야. 동물보호단체의 이런 다양한 활동에 별 관심이 없는 사람들은 복날즈음에 동물보호단체들이 '개고기 반대 캠페인'을 하는 것이 언론에 노출되면 동물보호단체가 '개고기 반대 단체'인 것으로 한정짓는 경우가 종종 생기지.

그러면 이제 너의 질문인 동물보호단체들이 왜 소고기나 돼지고기는 반대하지 않으면서 개고기는 먹으면 안 된다고 하는지에 대해서 이야기해보자. 보다 정확히 표현하면 동물보호단체들은 소고기나 돼지고기 등에 대해서는 반대 캠페인까지 벌이지는 않지만 권장하지도 않아. 실제로 동물보호단체 활동을 하는 사람들 중에는 채식주의자도 많아. 개뿐만 아니라 소나 돼지도 불쌍하다는 생각에 그 고기들을 먹지 않는 거지. 이런 채식에 대한 생각은 자신의 판단에 의해서 결정하고 실천하는 것이므로 다른 사람들에게 강요하지는 않는단다. 물론 오늘날 과도한 육식이 발생시키는 다양한 문제들을 인식하고 스스로 육식을 줄였으면 하는 바람을 가지고 있기는 하지만 말이야.

그럼 왜 채식에 대해서는 스스로 알아서 판단하도록 하면서 왜 개고기는 먹으면 안 된다고 주장하는지 생각해보자꾸나. 이 부분은 여러 가지 측면에서 바라볼 수 있는데 그중에 가장 큰 이유는 '공감'이란다.

요즘은 초중고등학교에서 동물 실험을 금지하고 있지만 얼마 전까지만 해도 다양한 동물 실험을 했단다. 대표적인 것이 개구리 해부 실험이야. 어린 학생들이 학교에서 개구리 해부 실험을 왜 하는 것일까? 개구리의 내부 장기 모양을 알기 위해서? 그런데 개구리의 내장은 그림으로도 충분히 알 수 있어. 또 개구리 해부 모형도 있어서 그것으로 개구리의 장기 모양을 충분히 알 수 있지. 학생들이 살아 있는 개구리를 해부하면서 개구리의 장기를 눈으로 직접 확인한다는 것 이외에는 특별한 의미가 없어. 그런데 해부하는 순간 하나의 소중한 생명은 죽음을 맞게 되지. 이러한 동물 실험이 반복되면 아이들은 생명을 하나의 수단으로 삼는 것을 당연하게 여기게 되고 생명의 고통을 쉽게 무시하게 된단다. 이러한 점 때문에 다행히 요즘은 초중고에서 동물을 상대로 한 실험은 지양하고 있단다.

영국의 이야기를 잠깐 해볼게. 영국에서는 연구기관에서도 동물 실험을 하는 것이 쉽지 않아. 동물 실험을 하고자 하면 엄격한 심사를 거쳐야 하지. 연구원은 반드시 그 동물 실험을 해야만 하는 당위성을 심사관들에게 납득시킬 수 있어야 해. 그리고 대체할 수 있는 실험법이 없는지 모색하고(Replacement), 동물 실험을 한다면 사용 동물 수를 최소화하고(Reduction), 실험 과정을 개선하여 실험동물의 고통을 최소화하는(Refinement) 동물 실험 3R 원칙에 따라 진행해야 해. 예전에 비슷한 실험이 있었거나 실험 목적이 하나의 생명을 죽이는 것보다 중요한 것이 아니라고 판단되면 그 동물 실험은 불허된다는구나. 또 이러한 동물 실험을 하기 위해서 실험을 진행하는 사람은 동물 복지와 관련된 엄격한 테스트를 거쳐야 하고 말이야. 이 엄격한 테스트도 한 번 거쳤다고 끝나는 것이 아니라 다음 해에 또 다른 동물 실험을 하려고 하면 다시 테스트를 거쳐야 한대. 그래서 영국에서는 동물 실험을 아주 필요하다고 판단되는 경우 외에는 실시되지 않는단다. 이러한 엄격한 기준은 많은 부분에 영향을 끼쳐 생명 자체를 깊이 고려하는 자세가 몸에 배이도록 해준단다.

영국에서는 학교에서 당연히 개구리 해부 실험을 하지 않아. 또 곤충 채집도 학교 과제로 내주지 않지. 곤충들도 모두 생명이기 때문이야. 더 나아가 수업에 나뭇잎이나 나뭇가지가 필요할 때 아이들은 나무를 꺾기보다는 떨어진 나뭇가지를 이용한대. 왜일까? 그것은 나무도 생명이기 때문이야. 나무도 생명이기에 우리가 공감하기는 힘들지만 그들만의 느낌이 있어. 단지 동물과 같은 방식으로 표현을 하지 않을 뿐이야. 이렇게 그 나무의 생명성과 느낌에 대한 배려를 배운 아이들은 나뭇가지가 꺾였을 때의 아픔을 공감하기에 나뭇가지를 꺾지 않는 거지. 하지만 나무의 고통을 배우지 않은 아이들은 나뭇가지쯤이야 하고 쉽게 꺾는 거야.

이렇게 동물 실험에 엄격한 나라에서 더욱 엄격하게 관리하는 동물 실험이 있단다. 그것은 유인원에 대한 동물 실험이야. 영국에서는 유인원에 대한 동물 실험은 거의 불허하고 있어. 이러한 방침은 다른 여러 나라들도 따르고 있는 추세야. 동물 실험은 다양한 이유로 시행되는데 개발 중인 어떤 약물을 사람에게 바로 적용하기 전에 어떤 부작용이 있을지 알아보기 위해서도 실시돼. 약물에 대한 반응은 동물마다 제각각이야. 그래서 사람과 유전적으로 가장 흡사한 유인원을 실험동물로 사용하는 것이 더욱 유용하지. 그런데 왜 그렇게 유용성이 높은 동물을 실험동물로 엄격히 제한하고 있는 것일까? 그것은 유인원은 우리 인간과 유전적으로 비슷한 만큼 공감하는 정도도 클 것이라고 생각하기 때문이야. 우리 인간이 고통을 느끼는 만큼 인간과 비슷하게 진화한 유인원들도 고통을 느낄 것이라고 생각하기 때문에 실험동물의 대상에서 엄격히 제외한 것이란다. 공감을 하는 만큼 그 대우도 달라지는 거지.

이것은 사람들 사이에서도 마찬가지야. 우리 사회에는 어렵고 고통을 받는 많은 사람들이 있어. 하지만 모르는 사람이 고통을 겪고 있을 때와 잘 아는 사람이 고통을 느낄 때 공감하는 정도는 다르단다. 모르는 사람이 힘들다고 하면 '좀 안됐네' 정도로 생각하지만, 부모나 형제가 어려운 상황에 놓였다면 실질적으로 도와주게 돼. 이건 이상하거나 잘못된 게 아니야. 이 또한 공감의 차이란다. 내가 모르는 사람보다 내가 잘 아는 사람의 고통에는 그 만큼 더 공감을 하기 때문에 더 아픈 거야.

동물보호단체에서 개고기는 먹으면 안 된다고 강력히 주장하면서 소와 돼지 그리고 닭에 대해서는 그 만큼 강력하게 반대운동을 하지 않는 것도 마찬가지야. 개와 소, 돼지, 닭을 차별해서가 아니야. 그들 생명을 다르게

개구리 해부 실험을 대체하기 위해 만들어진 개구리 모형. 동물 실험은 대체(replace)할 수 없거나 줄일 수 없는 경우(reduce)와 같은 3R에 의한 엄격한 기준에 의해 허용되어지는 것이 전 세계적인 추세이다.

평가해서도 아니야. 이것 역시 공감의 차이 때문인 거야. 집에서 반려동물로 개나 고양이를 키우는 사람들이 많지. 개를 키우는 사람들은 누구나 느끼는 것이지만 개가 무엇을 생각하고 또 무엇을 원하며 어떻게 느끼는지 많은 것을 알 수 있어. 개의 느낌에 대하여 많은 것에 공감을 하는 거지. 그렇게 공감을 하는 개가 고통을 당한다고 하니 그 고통이 더 크게 느껴지는 거야. 소, 돼지, 닭도 열악한 환경에 살고 있지만 개들이 그런 환경에 있다고 생각하면 그 개들이 얼마나 고통스러울지를 더 크게 느끼는 거야. 그래서 동물보호단체들이 개고기에 대해서 더 강력하게 반대를 외치는 거지.

만약 소, 돼지, 닭에 대한 공감도 늘어나면 소, 돼지, 닭을 먹는 것도 쉽지 않게 될 거야. 동물보호운동을 하는 이들 중에 채식을 하는 이들이 적지 않은 이유가 바로 여기에 있어. 동물보호단체는 실현 불가능한 이상을 외치는 단체가 아니라 지향하는 방향으로 현실을 조금씩 바꾸는 활동을 하는 단체거든. 그래서 동물보호단체는 일반 시민들이 다양한 동물들에 공감할 수 있는 계기를 만들려고 하고, 병행하여 당장 해결해야 할 시급한 문제들을 해결하려고 하고 있어. 그중 하나가 보신탕으로 고통 받으며 죽어가는 개들을 구하는 일인 거야.

아빠, 그런데 왜 우리나라에는 보신탕 문화가 있는 걸까요?

개를 식용으로 한 민족은 우리나라뿐만 아니라 세계적으로 여러 곳이 있었어. 제레드 다이아몬드의 『총, 균, 쇠』를 보면 개고기에 대한 유래가 나와. 개를 일상적으로 잡아먹는 풍습은 달리 육류를 구할 수 없는 인간 사회에서 마지막으로 취한 수단이었다고 해. 아스텍인들에게는 가축화된 포유류가 개밖에 없었고 폴라네시아인들과 고대 중국인들에게는 돼지와 개가 전부였대. 그래서 그들은 개고기를 자연스럽게 먹게 된 거지. 그에 비해 가축화된 초식 포유류를 많이 가진 복 받은 인간 사회에서는 굳이 개를 잡아먹으려고 하지 않아도 되었고 오늘날 동남아시아의 일부 지역에서는 어쩌다가 별미로 먹었을 뿐이라고 하는구나.

개고기에 대한 기원은 여러 가지가 있는데 대체로 먹을 것이 없던 시절 키우던 개가 가장 쉽게 구할 수 있는 단백질원이었다는 거야. 우리나라의 경우도 평소 음식 찌꺼기로 키우다가 무더운 여름 체력이 떨어질 때 체력을 보충할 단백질원으로 개고기를 먹었던 거지. 농경사회에서 집안의 큰 기둥인 소를 몸보신하겠다고 잡아먹는 것은 상상할 수도 없었지. 하지만 세월이 변해서 소고기를 비롯해 섭취할 수 있는 단백질원이 마트에 가면 산더미처럼 쌓여 있는데도 습관처럼 먹는 보신탕 문화는 바뀌지 않고 있는 거야.

　오늘날 우리는 영양 결핍을 걱정하는 시대를 살고 있지 않아. 오히려 영양 과잉을 염려하지. 이미 체내에는 평상시 과도하게 섭취한 육식으로 인하여 지방이 곳곳에 축적되어 늘어나는 비만이 골칫거리인 때가 되었어. 못 먹어서가 아니라 너무 많이 먹어서 문제인 거야.

　이러한 영양 과잉으로 많은 사람들이 당뇨병을 비롯한 고혈압, 동맥경화, 지방간 등 성인병으로 고생을 하고 있어. 그런데 이렇게 불어난 몸을 힘겨워하며 더위를 이기기 위한 보양식으로 고단백인 보신탕을 찾는 거지. 이 얼마나 난센스야! 단백질원이 없던 때에는 먹을 것이 없으니 어쩔 수 없었다고 하더라도 이제 개고기 말고도 먹을 게 많잖아. 그리고 개에 대한 생각도 많이 달라졌고.

　보신탕에 대해 찬성하는 사람들의 의견 중에는 보신탕을 좋아하는 사람도 있고, 혐오하는 사람도 있는데, 다른 사람이 먹는 것을 못 먹게 하는 것은 지나친 간섭이라는 이야기도 있어요.

　예를 하나 들어볼게. 이웃집에 사는 아저씨가 술만 먹고 들어오면 어린아이를 몹시 심하게 때려. 그게 그냥 야단치는 정도가 아니라 누가 봐도 심하게 때리는 거야. 그것도 한두 번이 아니고 술 마시고 들어온 날마다 말이야. 이런 상황을 어떻게 하는 게 좋을까? 남의 집안일이니 알아서 해결하라고 그냥 두어야 하는 걸까? 부모에게 맞는 어린아이는 자기를 방어할 힘이 하나도 없어. 그 아이가 얼마나 고통스럽겠니. 그런 상황은 그냥 방치해서는 안 되는 거야. 그 집안에서 스스로 문제를 해결하지 못하고 자꾸 반복됨으로 인해 아이가 고통을 받는다면, 아동학대로 고발을 해서 어린아이가 더 이상 고통을 당하지 않도록 해야 하는 거란다.

개고기도 마찬가지야. 사람들은 음식점에서 온갖 양념이 된 보신탕을 먹으면서 그 개고기가 어떻게 사육됐는지 모르고 그냥 먹어. 누렁이와 같이 용돈을 벌기 위해 한두 마리 키우거나 요크셔테리어, 치와와, 포메라니언, 코커스패니얼 등 반려견으로 키우다 버려진 개도 보신탕이 되기도 해. 또 앞에서 이야기한 것처럼 유기견보호소에서 말라뮤트나 시베리안 허스키, 포인터, 진돗개같이 덩치가 큰 유기견들을 입양한다고 데려다 보신탕집에 파는 경우도 있어. 하지만 그 양은 보신탕 전체 시장으로 보면 얼마 되지 않아. 대부분은 대규모로 보신탕용 육견을 키우는 곳으로부터 나온다고 보면 돼.

육견들은 '뜬장' 이라고 바닥에 구멍이 숭숭 뚫린 철망으로 만든 싸구려 개장에서 키워져. 그렇게 하면 먹이를 먹고 볼 일을 봐도 밑으로 다 떨어지기 때문에 똥오줌을 치우는 데 손이 별로 들지 않으니 일손을 줄일 수가 있다는 거야. 먹이는 인근에서 음식쓰레기를 얻어다가 먹인단다. 사료는 사료비도 들어가지만 싸구려 사료로 키웠을 경우 영양가가 별로 없어서 고기 맛이 없다고 개고기업자가 값을 제대로 쳐주지 않는다는구나. 그렇다고 비싸고 좋은 사료를 먹이면 수지타산이 맞지 않아. 그래서 음식쓰레기를 구해다 먹이는 거야.

이렇게 키워진 개들을 죽이는 과정은 더 참혹하단다. 나무에 목매달아 두들겨 죽이거나, 산 채로 불에 태우거나, 전기로 지져서 끔찍한 고통을 가해서 죽여. 그렇게 고통을 많이 느낀 개가 아드레날린이 더 많이 분비되어 더 맛있다고 말이야. 이런 일이 동물학대를 금지하는 동물보호법이 있다는 대한민국에서 일어나고 있는 일이야. 이렇게 참혹한 과정을 거쳐서 생산되는 것이 개고기란다.

보신탕용 육견들은 바닥이 숭숭 뚫린 철망 위에서 음식쓰레기로 키워진다. 살아 있는 것 자체가 고통인 환경이다.

　정확한 통계 조사가 된 것은 없지만 1998년 국정감사자료에 의하며 보신탕으로 연간 8,000톤이 판매된대. 그리고 개소주로는 연간 9만 톤이 소비되고 말이야. 일년에 전체 개고기 소비량이 10만 톤 가까이 되는 거야. 10만 톤이면 몇 마리나 될까? 200만 마리 이상 될 거야. 매년 200만 마리 이상의 개들이 우리가 보지 못하는 곳에서 끔찍스러운 고통을 당하면서 죽어가고 있는 거지. 동물보호단체에서는 그것을 알기 때문에 어떻게 해서든지 보신탕을 금지시키려고 하는 거란다. 이웃집 아이라고 해서 학대당하는 것을 그냥 두고 볼 수 없는 것처럼 말이야.

5
도시의 동물과 사람

왜 동물로 인한 불편을 감내해야 하는가

아빠, 길고양이에게 먹이를 주는 사람을 보통 캣맘이라고 하잖아요? 캣맘은 선의의 뜻에서 집 없는 고양이를 보살펴주지만 캣맘에 대한 시각이 긍정적인 것만은 아닌 것 같아요. 얼마 전 아파트에서 캣맘이 고양이 밥을 주는데 다른 아줌마가 고양이가 모여든다고 밥 주지 말라며 욕하는 걸 봤어요. 이러한 갈등은 어떻게 풀어야 할까요?

어느 문제나 마찬가지겠지만, 갈등을 겪는 양쪽 입장은 언제나 물과 기름처럼 절대 섞일 수 없는 것처럼 보이지. 캣맘에 대한 갈등도 그래. 한쪽은 불쌍하게 여겨 일부러 자기 돈 들여 먹이까지 챙겨주는데, 한쪽에서는 구청에 신고해서 당장 내 눈 앞에서 없어지길 바라지. 한 쪽은 "우리의 공간에 버려진 동물의 삶도 고려해야 한다."는 입장이고, 또 다른 쪽은 "당장 나에게 불편을 주는 것은 싫다."고 생각해. 이렇게 갈등이 생기는 이유는 누군가에게는 그렇게 해야 한다고 생각되는 일이 다른 사람에게는 거부감을 주기 때문이야.

이러한 갈등을 과연 어디서부터 어떻게 풀어야 합당할까? 아빠는 '생명'이라는 키워드로부터 접근해보는 게 좋을 것 같아. 생명의 역사는 진화의 역사야. 생명은 35억 년 전 뜨겁던 지구에 박테리아가 나타난 이후 끊임없는 진화를 거쳐 오늘에 이르렀지. 우리는 이 진화의 역사를 이해하는 데 찰스 다윈을 비롯한 많은 과학자의 도움을 받았어. 그런데 이 과정에서 사람들이 오해하고 있는 부분이 있단다. 진화의 최정점에 인간이 있다고 여기게 된거야. 인간은 다양한 종을 거친 후에 다다른 가장 진화한 동물이며, 다른 생명들은 하위 단계에 머무르고 있다고 이해하는 거지. 이런 이해 방식은 인간의 약육강식 이데올로기의 발판이 되어, 미개한 식민지를 개발해준다는 강대국의 입장을 합리화하는 데 이용되었지. 뿐만 아니라 대규모 공장식 축산을 통해 동물들을 반생명적으로 마구 다루는 근거를 마련해주었어.

인간은 이렇게 스스로를 만물의 영장이라 표현하게 되었지만, 생명의 역사라는 관점에서 보면 이는 얼토당토하지 않는 말이야. 박테리아나 물고기들은 인간과 진화의 결승점을 향하여 경쟁한 적이 없거든. 서열을 매기는 것 자체가 무의미하다는 뜻이지. 박테리아가 생명의 시작이었던 것은 맞지만, 박테리아는 지금도 여전히 생명이 존재할 수 있는 기반이 되고 있으며, 생명의 과반수 이상을 차지하고 있어. 생명은 오랜 세월에 걸쳐 진화해오면서 어느 것 하나 독자적으로 이루어진 것이 아니라 주위 환경과 주변의 다른 생명들과의 유기적인 관계 속에서 진화해온 거야. 관계가 없는 생명은 존재할 수 없고, 또 지속할 수도 없다는 얘기지. 공부를 하면 할수록 '생명'이라는 키워드는 '공존'과 떼려야 뗄 수 없다는 결론에 이르게 되더구나.

생명이 관계 속에서 존재한다는 사실은 도시의 생태계도 예외일 수는 없어. 그런데 서울과 같은 도시에는 인간밖에 없지. 가끔 고양이가 있는데 그 고양이조차 몰아내려고 하잖아. 생명은 다른 생명과의 관계 속에서 존재할 수 있는데 도시에서는 다른 생명들이 없어. 그러므로 도시의 생태계는 건강한 생태계일 수 없고 또 지속 가능할 수도 없다는 얘기가 돼.

공존이란 때로 불편함을 주기도 하지만, 자연의 법칙을 따르기 위해서라면 그 불편함조차 익숙해지도록 연습을 해야 해. 그것이 우리가 지역에서 다른 동물들과 공존의 방식을 익혀야 하는 이유일 거야. 어떠한 생명도 인간의 이익에 의해 평가되어서는 안 돼.

모든 생명은 그 자체로서 존재의 의미를 가지며, 우리는 이것을 '생명권'이라고 부르지. 이것은 인간에 의해서 부여되는 것이 아니야. 생명은 생명이기 때문에 기본적으로 생명권을 갖는 거야. 생명이 생명을 유지하기 위해 기본적으로 갖는 권리 중 하나가 주거할 공간을 가질 권리야. 이 부분에 대해서 '그럼 우리가 동물에게 그런 것까지 제공해야 해?'라는 생각을 가질지 몰라. 그리고 시혜적인 차원에서 그런 방안을 찾으려고 할지도 모르고 말이야. 그런데 이 부분은 결코 시혜적인 차원이 아니야. 생명은 자기 스스로 자기가 주거할 공간을 찾거든. 그런데 그러한 공간을 인간이 모두 배타적으로 독차지하고 있는 것이 문제인 거야. 이 지구라는 공간은 모든 생명에게 주어진 공간이지 인간에게만 독점적으로 주어진 공간이 아니거든. 우리가 지역에서 동물과 공존을 모색하는 것은 그 동물에게도 그 환경에서 살 권리가 있기 때문이야.

그러하기에 우리는 다시금 "왜 우리가 지역에서 버려진 동물의 삶을 고려해야 하는가?"라는 질문은 "우리에게 다른 생명들을 그들의 삶의 공간에

TNR을 하기 위해 포획되어 온 길고양이.

서 추방할 권리가 있는가?"로 바꿔서 물어야 해. 그리고 지구상에 인간 혼자서만 존재할 수 없다는 것을 항상 염두에 두어야 하지. 그렇기에 다른 생명들과 불편해도 어떻게 같이 살 수 있을까를 항상 생각해야 하는 거란다.

6
동물을 보살피는 이유

동물이 먼저냐, 사람이 먼저냐

아빠, 온전한 생태계를 유지하기 위하여 동물들과 인간이 함께 살아가는 방법을 고민해야 한다는 뜻은 이해가 가는데요, 솔직히 사람 중에도 도움의 손길이 필요한 사람들이 많잖아요. 지원할 수 있는 재원에는 한계가 있는 법인데, 동물과 사람 중에 누구를 지원하는 것이 맞는 걸까요?

그래, 동물 보호를 말하면 늘 따라오는 레퍼토리 중 하나가 "동물이 먼저냐? 사람이 먼저지!" 하는 것이야.

예전에 서울대공원에서 돌고래쇼를 하던 제돌이라는 돌고래를 제주 앞바다에 풀어준 일이 있었단다. 이 제돌이는 남방큰돌고래로 '멸종위기 야생동식물의 국제거래에 관한 협약(CITES)'이 정한 멸종위기동물이야. 이 사이테스에 기재된 동물은 포획을 하거나 매매를 하지 못하도록 되어 있어. 그런데 어느 업체가 불법 포획하여 팔아먹은 거지. 또 서울대공원에서

제돌이 환경 적응 훈련.

는 그런 멸종위기 동물을 가두어두고 훈련을 시켜서 공연을 한 거야. 돌고
래는 인류 다음으로 뇌가 발달한 동물로 감정, 사회적 인지능력 그리고 타
인의 생각까지도 지각하는 능력이 있다고 알려져 있어. 뇌가 발달한 만큼
정신적인 스트레스도 많이 받는 동물인 거야. 그런 멸종위기동물을 좁은
수족관에 가두어두고 훈련을 시켜 공연을 했던 거지. 이러한 사실이 알려
지면서 동물보호단체에서는 돌고래쇼를 금지하고 제돌이를 원래 살던 곳
으로 돌려보낼 것을 주장했어. 이런 주장에 대해 서울시는 처음에는 난색
을 표하다가 나중에는 받아들여, 제돌이를 적응 훈련을 받게 한 다음 제주
도 앞바다에 방사하게 되었단다. 제돌이를 이렇게 현지 적응 훈련을 시키
고 방사하는 데 7억 6,000만 원의 비용이 들어갔어.

　이렇게 제돌이의 방사에 소요된 비용에 대하여 어떤 사람들은 북한 동
포들은 기아로 헐벗고 있는데, 그 돈을 북한 동포 지원에 사용하지 않고 동

물에게 막대한 비용을 지출했다며, 북한 동포의 인권이 돌고래보다 못한 것이냐며, 당시 이 일을 진행한 서울시장을 비판했단다.

이렇게 굶주리는 북한 동포가 있는데 동물에게 예산을 지출하는 것에 대해 어떻게 생각하니? 꼭 북한 동포뿐만 아니야. 서울에도 많은 노숙자들이 있단다. 또 수많은 결식아동들, 생활에 불편을 겪는 장애인 등등 하루하루를 힘들게 살아가는 많은 사람들이 있어. 그들은 한푼의 돈이 아쉬운 사람들이야. 당장 이런 사람의 문제들을 놔두고 동물 복지에 예산을 집행하는 것이 바람직한 것일까?

이런 문제 제기에 대해서는 다른 시각으로 생각해볼 필요가 있단다. 그럼 그 사람들이 주장하는 것처럼 동물복지에 사용되는 비용을 북한의 인권, 결식아동, 노숙자와 같은 문제에 사용한다면 그 문제가 해결될 수 있을까? 또 예산의 일부를 동물복지에 사용했기 때문에 그러한 문제들이 생긴 것일까? 만약 예산을 동물복지에 사용해서 그런 문제들이 심화되었다고 한다면 동물복지 예산을 줄여서 그런 문제들을 해결하는 것도 고려해봐야 할 거야.

하지만 그러한 문제들은 사람들 사이에서 분배의 문제에 의해서 발생한 거야. 사회적 이익의 공정한 분배가 이루어지지 않아서 발생하는 문제인 것이지 동물복지에 예산을 사용했기 때문이 아니라는 거야. 2011년도 국세청 통계 자료를 보면 국민총소득의 40%를 상위 10%가 차지하고 그에 비해 하위 50%는 국민총소득의 10%를 나눠 가졌어. 그러다보니 없는 사람은 너무 힘들게 사는 거야. 이것은 인간의 욕망과 관련된 문제라고 할 수 있어. 사회가 재화를 과다하게 차지하려는 사람들의 탐욕을 적절한 선에서 억제하고 분배를 공정하게 할 수 있다면 얼마나 좋겠어. 하지만 경쟁이 지상의 선인 양 위세를 떨치는 이때에 재화를 균등하게 나누는 시스템을 마련하는 것은 어려운 일이겠지?

사회적 약자의 문제는 복지적인 측면에서 사회가 그들을 보호하지 못하면서 발생하는 문제지 얼마 안 되는 예산을 동물복지에 사용했다고 발생하는 것은 아니야. 그런데 마치 동물복지에 얼마의 예산을 사용해서 사회복지 예산이 줄었다고 이야기하는 것은 어불성설이지.

사회적 분배의 문제뿐만 아니라 예산을 정말로 쓸데없는 곳에 낭비하는 경우도 적지 않아. 충북 괴산에 가면 5억 원을 들여 만든 커다란 가마솥이 있어. 무게가 자그마치 43톤이나 되는데 이것을 만든 목적은 기네스북에 올리기 위해서라는구나. 그런데 아쉽게도 이 가마솥보다 더 큰 가마솥이 다른 나라에 있어서 기네스북에도 올리지 못했어. 이 가마솥은 너무 크다 보니 밥을 하면 밑에는 까맣게 타는데 위에는 불기운이 올라오지 않아 맨 쌀이어서 밥도 짓지 못한대. 쓸데도 없고 관리하는 데만 돈이 더 들어간다는구나.

또 전국적인 규모의 4대강 살리기 사업과 같은 것도 있어. 그 사업에 40조 가량이 소요되었는데 정작 맑게 흐르던 강물들은 녹조 때문에 몸살을 앓고 있지. 시시때때로 물고기들이 떼죽음을 당하고 말이야. 그 사업을 벌이면서 끌어다 쓴 돈의 이자와 만들어놓은 시설들을 유지하느라고 매년 몇 백억 원씩 추가로 예산이 소요된다고 하는구나. 이렇게 분배가 공정하게 이루어지지 못하고 예산이 낭비되면서 사회적 약자와 같은 문제는 점점 심해지는 거란다. 그것이 동물복지 분야에 얼마 되지 않는 예산을 사용했기 때문은 아니야.

우리나라 국민총소득은 예전에 비해서 많이 늘어났어. 하지만 국민총소득이 증가한다고 하더라도 분배가 제대로 되지 않기 때문에 없는 사람은 계속 힘들게 사는 거란다. 모든 사람들이 우선 먹고 살 만하게 된 후 동물을 도울 수 있는 때는 결코 오지 않아. 분배의 문제는 결코 쉽게 풀리지 않을 문제니까 말이야.

그럼 사회의 분배 문제가 쉽게 해결되지 못하는 상황에서 인간 이외의 다른 생명을 돌보는 일은 언제부터 시작해야 하는 걸까? 사람 사이의 분배 문제는 사회적으로 계속 해결하기 위해 노력해야 할 거야. 하지만 모든 사람들이 이 문제에만 매달릴 수는 없지. 사람마다 관심사가 다르니까 말이야. 어떤 사람이 사람 사이의 문제를 해결하는 동안 동물에게 관심이 있는 사람은 동물의 문제를, 환경에 관심이 있는 사람은 환경 문제를 또 이외에도 저마다 자기가 관심을 갖고 있는 문제를 풀어가면서 살아가야 하는 거란다. 어떤 문제를 완결한 후에 다른 문제를 해결하는 그런 때는 없는 거야. 매일매일 저마다의 관심 분야의 문제를 해결하려고 노력하면서 사는 거지.

3부
축산동물에 대하여

생명에 경중이 있을까

전에 4대강 살리기 사업이 한참 진행되던 때에 낙동강을 탐방한 적이 있었습니다. 그때 함께 갔던 어느 시인이 들려준 이야기입니다.

어느 날 부처님이 앉아 참선을 하고 계셨습니다.

그때 비둘기 한 마리가 날아와 부처님께 살려달라고 애원을 했다는군요. 부처님이 까닭을 묻자, 굶주린 여우가 자기를 잡아먹기 위해 쫓아오고 있다는 겁니다. 이를 가엾이 여긴 부처님은 비둘기를 가슴에 품어 숨겨주었습니다. 곧이어 여우가 달려와 부처님께 비둘기를 보지 못했냐고 물었습니다. 비둘기를 왜 찾느냐고 묻자, 여우는 며칠째 주린 자신의 배를 채우기 위해 비둘기를 먹어야겠다고 했습니다. 그래도 남의 생명을 해쳐서야 되겠느냐고 타이르자, 여우가 하는 말이 "부처님은 비둘기가 죽는 것은 가엾고, 내가 굶어 죽는 것은 가엾지 않냐"고 하더래요.

듣고 보니 그도 그렇다 싶어 부처님은 여우에게 비둘기 살만큼 자신의 살을 베어주기로 했습니다. 여우는 비둘기의 살보다 조금도 모자라선 안 된다며 저울을 가져왔습니다. 저울 한쪽에 비둘기를 올려놓고나서 부처님은 자신의 허벅지 살을 베어 한 편에 올려놓았습니다. 그래도 저울 눈금은 변화가 없었대요. 다시 팔을 베어 얹고, 다리를 베어 얹었지만 저울 눈금은 같아지지 않았습니다. 별 수 없이 부처님 자신이 저울대로 올라가자, 그제서야 저울 눈금이 비둘기와 똑같아졌다고 합니다.

이 이야기는 생명이란 작은 비둘기조차도 부처님과 경중을 비교할 수 없이 모두 소중하다는 메시지를 담고 있지요. 그렇습니다. 생명은 모두 똑같이 소중합니다. 그런데 생명의 소중함에 대해 파고들수록 한 가지 걸림돌이 나타나더군요.

어느 집에서나 인기 간식 메뉴인 치킨과 도시 곳곳에서 흔히 볼 수 있는 고깃집들, 저 어렸을 때와 비교하면 너무도 풍족하게 육류를 접할 수 있는 시대가 된 것은 분명합니다. 그런데 여러분은 우리 식탁에 매일 올라오는 육류가 어떻게 키워지는지 아시나요? 애완동물을 반려동물로 불러야 한다고 할 정도로 생명에 대한 인식이 높아진 오늘날이지만, 마트에 깨끗한 모양새로 진열된 육류들과 맛있는 음식으로 식탁에 오른 고기 요리 앞에서 축산동물의 현실은 감춰지기 일쑤입니다. 축산동물이 반려동물과 길고양이와 구별되는 차이점은 바로 이윤을 목적으로 생산된다는 점입니다. 이윤을 내기 위해 존재하는 축산동물은 키워지고 도축·유통되는 과정 속에서 생명이라는 가치를 찾아보기 어렵습니다. 생명에는 경중이 없다는 메시지를 접하며 바로 이 점이 마음에 걸리더군요.

3부에서는 우리가 소, 돼지, 닭고기를 어떻게 이토록 풍부하게 먹을 수 있게 되었는지, 이 축산동물들이 어떻게 키워지는지 등을 통해 인간에 의해서 존중받지 못하는 축산동물에 대한 이야기를 딸과 함께 이야기 나눠보려 합니다.

1
공장식 축산의 현실

두 마리 치킨의 진실

아빠 언젠가부터 '두 마리 치킨'이 등장했잖아요. 처음에는 양이 많아진 줄 알고 좋아했는데, 먹어보니 양이 두 배가 아니었어요. 그냥 작은 닭 두 마리 같아요.

같은 크기의 닭이라면 한 마리와 두 마리는 분명 차이가 있지만, 요즘 회자되는 두 마리 치킨의 경우는 네 느낌이 틀린 게 아니란다. 두 마리 치킨의 등장 이유를 알면 왜 네가 그렇게 느꼈는지 알게 될 거야.

닭의 자연스러운 수명이 얼마나 될 거라고 생각하니? 믿기지 않겠지만 닭은 20~30년가량 살 수 있어. 하지만 축산 농가는 돈을 벌기 위해 닭을 키우기 때문에 사료 효율성이 가장 높은 때까지만 키워. 사료 효율성이란 사료를 먹었을 때 얼마만큼 체중이 증가하는가를 측정한 거야. 사료를 먹이면 병아리들이 성장하는데 어느 정도 크게 되면 먹는 사료의 양에 비해 체중 증가 속도가 떨어져. 덩치가 커진 병아리들은 먹기는 더 많이 먹는데 체중 증가 속도는 떨어지는 거지. 그런 것을 계산해서 사료 효율성이 가장 높을 때까지만 키우는 거야. 그래서 1950년대에는 70일 간 키워지던 병아리들이 2008년에는 48일로 줄었다가 최근에는 35일만 키워진단다. 더 이상 지나면 크기는 크더라도 사료를 먹는 양이 더 많아지기 때문에 이익이 덜 남는 거지. 또 병아리들을 키울 때 병아리를 건강하게 키우기보다는 어떻게 하면 이윤을 극대화할 수 있을까 위주로 생각하기 때문에 병아리들의 상태는 고려하지 않고 빨리 성장할 수 있도록 하는 사료를 만들어 먹여. 그러다 보니 병아리들은 체중이 급속히 늘어나는데 그에 비해 뼈나 근육은 약해서 시간이 지나면서 자기의 늘어난 체중을 견디지 못하고 주저앉는 경우가 늘어나게 돼. 그러한 상태에서는 시간이 갈수록 손해가 늘어나는 거지. 그래서 35일 만에 닭들을 도축하는 거고, '두 마리 치킨'이 생겨난 거야. 결코 치킨집의 인심이 넉넉해져서가 아니란다.

아빠 이야기를 듣고 보니, 치킨이 음식처럼 느껴지지가 않고, 왠지 이윤을 내기 위한 도구처럼 느껴져 씁쓸해요. 이렇게 효율성에 의해 키워지는 닭들의 축산 환경은 어떨지 궁금해요.

요즘 마트에 진열된 닭고기를 보면 부위별로 깔끔하게 포장되어 판매되잖니? 아빠 어렸을 때는 닭고기를 사려면 시장에 있는 닭집에 가야 했어. 손님이 가면 닭장에서 살아 있는 닭을 꺼내서 바로 잡아줬지. 상상이 잘 안 될 거야. 가게 안에서는 닭장에 넣어둔 닭이 똥도 싸고 하니 냄새도 나고, 직접 잡아서 털도 뽑고 씻어 토막을 내주다보니 비위생적으로 느껴지는 면도 없지 않았지. 그에 비해 오늘날처럼 마트에 깨끗하게 포장되어 진열된 닭들은 왠지 위생적인 환경에서 키워질 것만 같지. 그러나 실제로 가축들

공장식 양계장의 닭들은 닭에 대한 어떠한 배려도 없이 더 많은 이윤을 얻기 위한 방식으로 사육된다.

이 키워지는 공장식 축사의 현실은 전혀 다르단다.

양계장 문을 열고 들어서는 순간 눈을 뜰 수 없을 정도로 따갑고 독한 냄새가 몰아닥치지. 닭똥에서 발생하는 암모니아 가스 때문이야. 바깥과 완전히 차단된 산란 양계장은 어두침침한 백열등 불빛 아래 4~5층으로 쌓여있는 닭장이 길게 늘어서 있어. 이 닭들은 평생 햇빛을 한 번도 보지 못하는데 그것은 인위적으로 인공조명을 조절해서 달걀을 더 많이 낳도록 하기 위해서야. 좁은 닭장에는 4~6마리의 닭들이 빼곡히 들어차 있어서 닭들은 꼼짝도 하지 못해. 움직이면 살이 빠지기 때문에 일부러 닭장을 좁게 만든 거야. 때로 다른 닭에 깔려 죽는 닭들도 있단다. 이렇게 움직일 공간이 없기 때문에 닭들은 스트레스를 받고 그 때문에 다른 닭을 쪼기도 해. 그래서 닭들은 알에서 깨어난 지 5~7일째 되는 날 부리를 잘라. 이것은 사람의 손가락을 자르는 것과 다르지 않아. 부리가 잘린 병아리들은 심한 스트레스를 받아서 성장 장애를 일으키기도 하고 부리가 너무 짧게 잘린 경우 모이를 제대로 먹지 못해 죽기도 하지.

비좁은 케이지에 갇힌 산란계들은 산란기가 끝날 즈음이 되면 산란율이 떨어지는데, 이때 산란율을 높이기 위해 강제로 털갈이를 시켜. 이것을 강제 환우(換羽)라고 하는데, 사료와 물을 주지 않는 극단적인 방법을 사용하지. 물을 주지 않아 4% 정도의 닭이 목말라 죽으면, 그 때 물을 공급해. 그러면 닭들이 스트레스를 많이 받아 털이 빠지면서 산란율도 높아져. 유럽연합(EU)은 2012년부터 강제 환우는 말할 것도 없고 산란계를 케이지에 가두어 사육하는 것을 전면 금지했어.

또 육계 양계장은 병아리들을 양계장에 풀어서 키우는데 35일령이 되어 도축할 때까지 양계장은 한번도 청소를 하지 않아. 병아리들은 자기가 눈 똥밭 위에서 생활을 하는 거지. 병아리가 암모니아가 가득 찬 똥밭을 벗어

밀집되고 더러운 환경에서 자라는 돼지는 엄청난 스트레스에 시달린다. 스트레스가 쌓인 어미돼지가 새끼를 죽이는 경우도 있어 어미돼지는 틀에 갇혀서 새끼를 낳는다.

나는 것은 도축장에 가는 그 순간일 뿐이야.

아빠, 양계장 이야기만 들었는데, 소나 돼지의 사육 환경도 이와 비슷한가요?

양돈장이나 목장도 크게 다르지 않아. 우리는 오래 전 화장실에서 키우던 돼지를 생각하며 돼지는 천성적으로 더러운 동물이라고 생각해. 하지만 돼지는 깨끗한 것을 좋아하는 동물이란다. 자연 상태의 멧돼지는 자신의 주거지를 깨끗하게 하기 위해 멀리 떨어진 곳에다 볼일을 봐. 그런데 공장식 축산으로 사육되는 돼지들은 좁은 공간에 많은 돼지를 키우기 때문에 더럽게 사는 거야. 농림부의 돼지 사육 기준에는 평당 3마리를 기르도록 되어 있지만 실제로는 10마리까지도 사육하는 경우가 흔해. 이렇게 밀집되고 더러운 환경에서 자라는 돼지는 엄청난 스트레스를 받으면서 살아. 그러다보니 공격적으로 다른 돼지의 꼬리를 물어뜯곤 한단다. 이를 방지하기 위해 돼지들도 태어난 지 얼마 되지 않아 이빨을 잘라버리지. 꼬리도 잘라버리고. 또 거세 수술도 하는데 이런 모든 작업이 마취도 하지 않은 상태에서 수의사가 아닌 양돈장에서 일하는 목부에 의해서 이루어져. 이러한 잔혹한 행위에 대하여 EU는 2012년부터 마취제를 사용하지 않는 돼지의 거세 수술을 금지했어. 하지만 현실은 여전히 마취제를 사용하지 않고 이빨도 뽑고 꼬리도 자르고 거세 수술도 하고 있지. 또 좁은 곳에 많은 돼지를 키우는 것도 여전하고. 돼지들이 좁은 곳에서 살다보니 스트레스가 쌓여서 어미 돼지가 새끼들을 죽이는 경우도 있어. 그래서 어미 돼지는 꼼짝도 할 수 없는 틀에 갇혀서 새끼를 낳는단다. 어미 돼지가 얼마나 스트레스를 받으면 새끼 돼지에게 스트레스를 부리겠어? 그런데 스트레스 받는 환경을 개선하기보다는 어미 돼지를 꼼짝도 하지 못하게 틀에 가두어 키우는 것이지.

그럼 소는 좀 나은 환경에서 자랄까? 아마도 드넓은 산자락에 펼쳐진 대관령의 목장을 본 사람이라면 그런 이미지 때문에 소들이 초원과 같은 환경에서 키워질 거라고 상상할 거야. 하지만 소들 또한 그다지 다르지 않아. 대부분의 소들은 똥과 진흙이 뒤범벅된 곳에서 평생을 살아간단다. 이런 곳은 소의 발에 무리가 되기 때문에 소들은 시시때때로 발가락에 염증이 생겨.

소는 원래 풀을 먹고 사는 가축이잖니? 그런데 공장식 축산으로 기르는 소는 풀이 아닌 옥수수로 만든 사료를 먹는단다. 우리 눈에는 옥수수나 풀이나 같은 초식이니 상관없는 것처럼 보일 수도 있지만, 실제는 그렇지 않은 것이 문제란다. 대학교에서 수의학을 공부할 때 소의 '위 전위술'이라는 것을 배워. 이는 소의 위에 발생한 다량의 가스 때문에 위가 뒤집혀 꼬여버리는 '고창증'이라는 병을 바로 잡아주는 수술이야. 바로 수술을 해주지 않으면 죽을 수도 있는 병이지. 그 수술을 배우면서 '수의학이 발달하지 않았을 때는 소들이 참 많이 죽었겠구나, 감당도 하지 못할 정도로 먹는 소는 참 미련한 동물인가보다'라고 생각했었어. 그런데 그게 아니더라고. 고창증은 옥수수를 먹기 시작하면서 시작됐다는 거야. 소는 원래 초식동물로 풀을 뜯어먹고 되새김질을 하여, 위 내의 미생물에 의해 서서히 발효된 결과물을 소화시켜서 성장하는 동물이야. 그런데 이런 소에게 풀이 아닌 옥수수를 먹이면서부터 위 내에 세균이 급격하게 증식되고 가스가 발생하게 된 거야. 고창증 말고도 다량의 산으로 인한 산중독을 이르는 '대사성 산증'이라는 병도 옥수수를 먹이면서부터 시작된 병이지. 이러한 질병은 모두 선천적인 것이 아니라 인간이 이윤 추구를 위해 옥수수를 먹이면서 발생한 문제였던 거야.

이렇게 옥수수를 먹여서 얻은 결과물이 꽃등심이야. 꽃등심은 마블링이라고 하여 근육 사이에 지방이 촘촘히 박힌 것을 말해. 이 꽃등심이라는 것은 자연의 소들에게는 없어. 자연에서 풀을 먹고 자라는 소들에게는 근육에 지방이 골고루 박히지 않거든. 사람들이 소들을 움직이지 못하게 좁은 곳에 가둔 상태에서 원래 소들의 먹이가 아닌 옥수수나 콩과 같은 곡물을 먹이면서 온몸 곳곳에 지방이 박히게 만든 거야.

소에게 곡물을 먹이다보니 위에서 과도한 세균이 증식하게 되고 여러 질병이 생긴단다. 그래서 성장촉진제라는 명목으로 지속적으로 항생제를 먹이지. 이는 항생제 남용의 문제와 내성의 문제를 야기하고, 그 고기를 먹는 사람들에게도 양향을 끼친단다. 소들에게 그렇게 항생제를 먹여도 과도하게 증식되는 세균은 어쩔 수 없기 때문에 3살이 넘어가는 경우 간을 비롯하여 여기 저기 염증이 생겨. 그래서 옥수수를 먹여서 키운 소는 사료 효율 때문에도 그렇고 질병 발생률의 증가 때문에 24~30개월 정도만 키우고 도축한단다.

 또 우리나라는 덜하지만 영국 사람들은 부드러운 어린 송아지 고기를 좋아한다고 해. 사료 효율성 때문에 수평아리가 태어나자마자 감별되어 죽게 된다고 했잖니? 숫송아지 또한 암송아지보다 사료 효율이 떨어지기 때문에 송아지 고기용으로 사육되지. 부드러운 어린 송아지 고기는 빈혈에 걸린 약한 송아지로부터 만들어져. 이런 고기를 만들기 위하여 사육사는 송아지를 0.76평의 좁은 사육 상자에 가두고 철분을 뺀 대용유만을 먹인단다. 송아지는 본능적으로 철을 공급받기 위해서 울타리의 철 파이프를 핥아먹는데 사육사는 그것조차도 핥아먹지 못하도록 목에 줄을 묶어 꼼짝 못하게 한단다. 영국은 이러한 잔혹한 사육 방식을 1990년부터 전면적으로 금지했고, EU는 2007년부터 금지했어. 하지만 미국은 여전히 이 방식을 고수하고 있어.

2

축산과 이윤 극대화

싸게 많이 먹을 수 있는 것이 과연 축복일까

아빠, 공장식 축산의 현실을 듣고 나니까 아무리 사람이 먹기 위해 키우는 동물이라고 해도 이건 너무 잔인한 것 같아요. 왜 이렇게까지 해야 하죠?

그래, 네 말대로 공장식 축산 환경에서 사육되는 가축들은 살아 있는 것 자체가 고통의 연속일거야. 그럼에도 불구하고 이렇게까지 해야 하는 이유는 당연히 더 많은 이윤을 얻기 위해서지. 그렇다면 이렇게 고통 받는 가축들로 이루어지는 공장식 축산에서 가장 많은 이익을 보는 사람은 누굴까? 사료 효율성을 높이려고 애쓰고, 가축에게 직접적인 고통을 가하는 축산업자일까? 아니야. 실질적으로 봤을 때 축산업자들은 돈을 많이 벌지 못한단다. 큰 빚을 내서 양돈장이나 양계장을 만들고 병아리나 어린 돼지를 구입해 사료를 사다 먹이고 키워 팔아도 이것저것 제하고 나면 남는 것은 그리많지 않아. 생산자의 몫 중 상당 부분이 사료 값으로 지불되거든. 축산물의 소비자 가격 중 30~40% 가량만이 생산자의 몫이야. 나머지 60~70%는 가축을 수집하고 도축·가공·유통하는 기업의 몫으로 바로 그들이 가장 많은 이익을 보는 이란다.

엄밀히 말하면 공장식 축산으로 인해 희생되는 것은 비단 가축으로만 단정할 수 없단다. 가축은 말할 것도 없고, 관련 종사자들에게도 그다지 유익하지 못해. 축산 공장에서 일하는 노동자들 또한 열악한 환경에서 저임금에 시달리고 있고, 잦은 산재로 높은 이직률을 보이고 있단다. 어느 육가공 공장은 한 달 만에 무려 43%의 전직률을 보이는 곳도 있을 정도야. 더러운 환경과 힘든 일에 비해 임금은 낮기 때문에 외국인 노동자가 대부분 그런 일을 하고 있지.

그렇다면 소비자는 어떨까? 앞에서도 이야기했듯이 공장식 축산으로 사육되는 가축들은 만성적인 스트레스와 질병으로 항생제를 일상적으로 급여 받아. 이 항생제는 내성의 문제를 야기하고 이것은 사람들에게도 영향을 끼치지. 또 더 많은 우유를 얻기 위해 가축에게 투여되는 호르몬제는 그것을 마시는 어린아이들의 체형도 변화시킨단다. 게다가 과도한 육식은 많은 사람들을 살찌게 하지. 비만은 심혈관계 질환, 당뇨병, 암, 근골격계 이상 등의 원인이잖아.

또 공장식 축산은 지구의 환경을 파괴시킨단다. 지금 이 시간에도 아마존 열대림은 공장식 축산을 위한 옥수수와 대두를 키우기 위하여 벌목되어 사라지고 있어. 양돈장이나 목장에서 흘러나오는 폐수는 주변 땅과 하천을 오염시키고 있고.

아빠 말씀을 듣고 보니 공장식 축산은 가축과 축산 노동자뿐만 아니라 소비자 더 나아가 지구의 환경 문제까지 뭐 하나 유익한 게 없는 것처럼 느껴져

공장식 축산은 더 많은 이윤을 얻기 위해 좁은 공간에 많은 가축을 사육하고 있다.

요. 그런데 딱 한 가지 좋아진 점이 있는 것 같아요. 옛날에 비해 고기를 많이
먹을 수 있게 된 것 말이에요.

그래, 아빠 어렸을 때를 생각해보면 치킨은 할아버지 월급날에나 먹는
특별한 음식이었지. 소고기는 생일날 미역국에 넣은 것을 맛보는 정도였고
말이야. 그에 비해 지금은 그냥 출출하다 싶으면 언제나 전화해서 치킨을
쉽게 시켜 먹잖니? 거리에 나가면 고깃집도 많고 말이야. 사람들은 막연하

게 우리나라가 잘살게 돼서 그런 거라고 생각하지. 이 점도 아예 배제할 수 는 없지만, 직접적인 원인은 공장식 축산으로 인해 고기의 가격이 많이 낮 아졌기 때문이란다. 공장식 축산의 현실을 배재하고, 단순히 고기를 싸고 풍부하게 먹게 되었다는 점만 본다면 너무 행복한 얘기일 거야. 건강하게 키워진 육류인데 가격까지 싸다면 금상첨화겠지. 그러나 한번 생각해봐. 지금도 방사해서 유기농 먹이로 키운 닭의 달걀과 평범한 달걀의 가격 차 이가 어떤지. 족히 2~3배는 차이가 나. 그리고 육류 가격도 동물복지인증을 받은 것은 그렇지 않은 것보다 비싸. 지금도 건강한 먹거리의 가격은 아빠 어렸을 때와 마찬가지로 비싸기 때문에 평범한 가정에서 쉽게 선택하기 어 렵지.

경제 수준이 높아져서 고기를 풍부하게 먹게 된 것이 아니라, 공장식 축 산으로 질은 떨어지지만 가격이 저렴해졌기 때문이라는 것을 알아야 해. 반생명적인 축산의 현실을 배제하고 단순히 먹거리라는 측면에서 봤을 때 반생명적인 환경에서 키워진 육류, 면역력이 떨어져서 항생제가 첨가된 사 료를 먹고 키워진 육류, 이런 먹거리를 단순히 저렴하다는 이유만으로 많 이 먹을 수 있게 되어 축복이라고 말할 수 있는지 다시 생각해보게 된단다. 깨끗하게 포장되어 진열된 마트의 육류들은 오늘도 우리 집의 냉장고로 옮 겨질 텐데, 이윤 추구를 목적으로 하는 축산 유통업자들에게 소비자의 건 강은 존중되고 있는지 묻지 않을 수 없단다.

인간은 생존을 위해 오랜 전에도 수렵을 계속해왔지만 오늘날 공장식 축산과 는 생명관에 있어서 큰 차이가 있을 것 같아요. 인간이 원래부터 이렇게 생명 을 마구 대하지는 않았을 것 같은데요.

오늘날 우리는 과다한 육식을 너무나 자연스러운 것으로 생각하고 그 닭이나 돼지, 소가 하나의 생명임을 생각하지 않아. 그냥 수많은 종류의 음식이 있는데 그런 음식 중에 하나일 뿐이라고 생각하지. 사람들이 육식을 이렇게 자연스럽게 생각하게 된 역사는 얼마 되지 않아. 사실 다른 생명을 죽여서 먹는다는 것은 그렇게 자연스럽게 할 수 있는 일이 아니야. 예를 들어 살아 있는 35일 된 병아리를 가져다주고 잡아 먹어보라고 했을 때 그것을 죽여서 잡아먹을 수 있는 사람은 많지 않아. 살아 있는 생명을 잡아먹는다는 것은 쉬운 일이 아니거든. 사람에게는 본성처럼 생명에 대한 경외심이 있지. 하지만 생명이 돈벌이의 수단으로 전락하면서 생명에 대한 경외심은 완전히 사라져버렸어.

생명에 대한 경외심은 몇몇 사람들만 가지고 있었던 것이 아니야. 다른 생명을 잡아먹는 것에 대하여 생존을 위해서 어쩔 수 없다고 하더라도 사람들은 최소한 불편한 마음을 가지고 있었어. 그런 불편한 마음 때문에 이런 풍습도 있었어. 일본 북부 섬의 원주민 아이누 족은 산속에서 흑곰 새끼를 데려다 2년 정도 키워. 어린 새끼 곰은 원주민들의 사랑과 보살핌을 받으며 자란단다. 그러다가 어느 정도 자라면 '곰 보내기'라는 축제를 통하여 곰을 잡아먹는 거야. 아이누 족이 이런 의식을 하는 이유는 곰에 대한 존중과 곰을 죽이는 데 대한 불편한 마음 때문이라고 해. 곰을 그냥 죽여서 잡아먹기에는 마음이 불편한데, 어릴 때 데려다가 키운 후 잡아먹으면 곰의 영혼이 산속에 있는 그의 가족에게 돌아가서 인간들이 자기를 잘 돌봐주다가 보내주었다고 칭찬할 것이라고 생각한 거야. 불편한 마음을 그렇게 위안을 삼는 거지. 또 인디언들은 사냥을 나가기 전에 대자연의 신에게 먹을 양식을 구하기 위하여 사냥을 할 수 있도록 해달라고 기도해. 그리고 물소를 잡은 후에는 다음과 같이 기도를 했다고 해. "한때 온 평원을 뛰놀며 대자연님과 하나였던 물소여, 우리는 그대가 고맙다. 우리들의 일용할 양식이 되어주고, 옷이 되어주는 그대여, 우리는 그대에게 존경을 표한다. 부디 그대는 노여워하지 말라." 이러한 식으로 그들은 필요한 만큼만 사냥을 했어.

이것이 사람들이 다른 생명을 대할 때의 기본적인 자세였어. 또 생존하기 위해 다른 동물을 죽이는 경우 매우 조심스럽게 행해졌지. 생존을 위해 고기를 얻으려고 동물을 죽이기는 했지만 동물들이 최대한 고통을 느끼지 않게 죽이려고 했어. 그래서 동물을 죽이는 사람은 최고의 기술을 가진 사람만이 할 수 있었지. 하지만 이러한 것이 공장식 축산이 되어지고 도축장에 컨베이어 시스템이 도입되면서 모든 업무는 분업화되고 그 과정에서 동물이라는 생명에 대한 경건한 자세는 사라져버렸단다. 죽어가는 동물의 고통에 대한 배려는 찾아볼 수 없게 된 거야. 가축은 그냥 단백질을 공급하는 수단이 되어버렸어.

우리가 동물을 생명이라고 생각하는 경우 많은 것이 달라져. 알래스카인처럼 농사를 지을 수 없고 물범 등과 같은 동물을 사냥해서 먹는 것이 유일한 생존 수단이라고 한다면, 동물을 잡아먹고 살아야겠지. 하지만 오늘날 우리나라를 포함한 선진국에서 벌어지고 있는 과도한 육식은 생존과는 전혀 상관이 없는 일이야. 생존과 영양분을 얻기 위해 고기를 먹을 수밖에 없다는 것은 말이 안 되는 거야. 우리는 지금 생존을 위한 영양 섭취를 걱정할 때가 아니라 지나친 영양 섭취로 인한 비만이나 심장병과 같은 문제를 고민해야 할 때거든. 우리가 그들 동물을 생명이라고 생각하게 된다면 덜 먹게 될 거야. 또 먹더라도 그 동물들 또한 생명의 존엄성을 느낄 수 있도록 대해야겠지.

3
전염병의 진실

조류인플루엔자와 구제역은 왜 생기나

언젠가부터 가축들이 구제역이나 조류인플루엔자 같은 전염병에 걸렸다는 뉴스를 자주 접하게 되는 것 같아요. 가축들은 왜 이렇게 전염병에 잘 걸려요?

기본적으로 공장식 축산으로 길러지는 가축들은 밀집되어 사육되는 환경과 심한 스트레스로 가축전염병에 취약할 수밖에 없는 게 현실이야. 하지만 방역 당국은 가축전염병과 공장식 축산의 관계에 대해서는 말을 아끼더구나.

2013년도 조류인플루엔자(Avian Influenza, AI)가 발생하였을 때 방역 당국은 AI의 원인으로 철새를 지목했어. 철새가 중국에서 고병원성인 H5N8 바이러스를 옮아왔다는 것이지. 그래서 철새들이 농장 주변에 오지 못하도록 철새들이 머물 수 있는 호수의 갈대들을 불태우기도 했단다. 그런데 철새가 떠나고나서도 AI는 발생했지. 더구나 연구 결과 중국에서는 같은 종류의 바이러스 출현이 없었다는구나. 방역 당국은 왜 AI의 원인으로 철새를 지목했을까? AI의 원인을 국내가 아니라 해외로 돌리고 싶어서일 거야. 아마도 국내의 축산업체들을 보호해주려는 사려(?) 깊음 때문이 아닐까 싶어.

AI사태를 비롯하여 가축전염병을 바라보는 시각에는 여러 문제점들이 내포되고 있어. 먼저 AI의 원인을 철새가 옮겨온 바이러스 자체에 한정하는 것에 대해 문제를 제기할 수 있어. 왜 이것이 문제가 되는지 같이 살펴보자꾸나. 인간의 몸에는 이미 1만 종이 넘는 세균이 살고 있어. 그 수는 자그마치 1조 마리 이상이지. 이렇게 많은 수의 세균이 우리 몸에 있지만 어떤 문제를 일으키는 것은 아니야. 오히려 많은 세균은 우리와 공생 관계를 맺고 있어. 다만 이들 세균과 건강한 관계를 유지하고 있다가 어떤 요인들에 의해 균형이 깨지면서 병을 유발하는 세균이 과다하게 증식되면 질병이 발생되는 거란다. 이런 점에서 봤을 때 AI의 원인 또한 단순히 바이러스의 증식에 집중할 것이 아니라 왜 바이러스가 증식되었는지 그 원인을 찾아야 해.

모든 생명은 건강하게 살도록 진화되어 왔고, 이것은 닭이나 오리 또한 마찬가지야. 이런 닭이나 오리가 병에 걸렸다면 그것은 이들 가금류의 건강한 상태를 깨뜨리는 어떤 요인들이 있기 때문이라는 점을 주목해야 해. 여기서 우리는 두 가지 접근을 할 수 있어. 하나는 가금류들이 왜 바이러스에 대항하는 면역력이 떨어졌는가이고, 두 번째는 바이러스가 왜 고병원성으로 변이했는가 하는 점이야.

가금류와 바이러스와의 균형이 깨져버린 원인을 찾는 것은 그다지 어렵지 않아. 닭들이 왜 AI에 걸리는지 알고 싶다면 공장식 축산을 하는 양계장에 가보면 금세 이해할 수 있단다. 양계장에 들어서는 순간 닭들이 왜 호흡

집단적인 바이러스 전염의 원인은 공장식 축산과 무관하지 않다.

기 질병에 걸릴 수밖에 없는지 누구나 깨닫게 될 거야. 오늘날 공장식 축산
을 하는 양계장은 산란율을 높이기 위하여 햇빛을 차단하고 인공조명 밑에
서 닭들을 키워. 좁은 닭장에는 4~6 마리의 닭들이 함께 갇혀 있어 마음껏
몸을 움직일 수도 없지. 하나의 계사에는 많게는 수십만 마리의 닭들이 들
어차 있단다. 이 닭들이 싼 닭똥에서 올라오는 암모니아와 날갯짓과 함께
떠다니는 먼지 속에서는 숨쉬기조차 쉽지 않아. 누구라도 이런 곳에서 한
달만 생활을 해봐. 호흡기 질병에 걸리지 않는다면 그것이 오히려 신기한
일일 거야. 또 닭들은 좁은 곳에 갇혀 운동도 하지 못하고 먹는 것은 면역력
형성에는 도움이 되지 않는 GMO(Genetically Modified Organism 유전자변
형식품) 옥수수를 주성분으로 한 사료뿐이야. 평생 땅을 파헤쳐 지렁이를
잡아먹어보지도 못하고, 날갯짓 한 번 시원하게 하지 못해. 그러니 스트레
스가 쌓여 곁에 있는 닭을 죽을 때까지 쪼아대는 경우도 있어. 닭들은 이렇

게 호흡기 질병에 걸리기 좋은 환경에 있기 때문에 호흡기 질병에 쉽게 걸리는 거야. 면역력이 약해질 수밖에 없다보니 어떤 바이러스에도 심각한 상태가 될 수밖에 없는 거지.

또 전염병의 원인을 바이러스로 언급하는 것 자체만으로도 모순이 있어. 바이러스의 특성을 고려한다면 집단적인 바이러스 전염의 원인은 공장식 축산에 있음을 알 수 있단다.

생명의 목적은 종의 생식과 번식에 있어. 바이러스 또한 마찬가지야. 다만 방식이 다를 뿐이지. 바이러스는 어떤 생명에 감염된 후 복제하여 확산해. 가장 일반적인 형태가 감기와 같은 형태라고 할 수 있어. 감기도 원인은 인플루엔자 바이러스야. 바이러스는 어느 숙주에 감염되면 그 숙주 속에서 자기 복제를 하고 또 다른 숙주로 확산되기 위해 노력하지. 그런데 만약 다른 숙주로 전파될 기회도 얻지 못했는데 숙주가 죽게 되면 다른 숙주로 퍼져나갈 수가 없잖아? 그래서 일반적으로 바이러스는 숙주를 죽일 만큼 치명적이진 않아. 숙주가 죽어버리면 자기 또한 끝이기 때문이야. 그러기에 다른 숙주를 접촉하기 어려운 경우에는 치명적인 전염병은 생기지 않아.

그런데 숙주가 밀집해 있는 경우에는 상황이 달라져. 숙주가 다른 숙주를 만날 때까지 생존하도록 배려할 필요가 없어진 거야. 왜냐하면 짧은 기간에 옮겨갈 숙주가 주위에 무척 많거든. 그래서 전염병은 인류가 도시라는 공간을 만들어 밀집하여 거주하고, 가축을 집단적으로 사육하게 되면서 발발하기 시작한 거야. 그것을 더욱 강화시킨 것이 오늘날의 공장식 축산이라 할 수 있어.

4
전염병 대책

가축전염병에 걸린 동물을 왜 살처분하는가

사람들은 전염병이 돌면 치료하는데, 수의학에서는 아직도 전염병을 치료할
수 없어서 그렇게 살처분하는 건가요? 아니면 가축들 사이의 전염병이 그 정
도로 위험하기 때문인가요?

리준아, 아빠는 이것이 단순히 치료 차원이나 전염병의 심각성 때문이
라고 생각하지 않는단다. AI는 바이러스의 병원성에 따라 다양한 증상을
보인단다. 주로 호흡기 증상을 보이며 설사를 하기도 하지. 바이러스의 병
원성에 따라 폐사율은 0~100%로 다양하게 나타난단다. 이 말은 곧 생명에
지장을 줄 정도로 치명적이라 단정할 수 없다는 뜻이기도 해. 다만 산란율
은 40~50%로 급격히 떨어지거나 산란이 중지되기도 하는데, 이것도 다시
나으면 정상적으로 산란할 수 있어. 이런 점에서 본다면 살처분하는 이유
가 치료가 불가능하기 때문은 아닌 거지. 물론 간혹 바이러스가 변이하여

사람에게 감염될 위험성도 있다고 하지만 유감스럽게도 이런 이유 때문도 아니란다.

그럼에도 불구하고 AI에 감염된 가금류를 살처분하는 근거는 법에 있어. 법률에 따라 AI가 발생한 농장으로부터 인근 3㎞ 부근에 있는 가금류를 살처분해야 하기 때문이야. AI가 발생한 농장 인근에 살던 닭들은 건강할지라도 죽임을 당하는 거지.

그렇게 치명적이지도 않은데 법에는 왜 살처분까지 하라고 되어 있는지 궁금하지 않니? 가축전염병에 대한 대책으로 살처분이 공식적으로 채택된 것은 1982년 영국이 시초였어. 당시 영국에서는 구제역이 발병하곤 했지만, 정부와 농민들은 이 질병에 크게 관심을 기울이지 않았어. 잠시 나타났다가 사라진 데다 구제역으로 인해 죽는 소도 거의 없었기 때문이야. 그러던 것을 영국의 부유한 귀족계층의 사육자들이 장기적인 면에서 구제역이 비용 손실을 유발한다는 것을 인식하고 심각한 질병으로 규정하려고 노력하기 시작한 거야. 그 결과 영국에서 구제역은 법률적으로 심각한 질병으로 규정되었고, 살처분은 공식적인 대응책으로 채택되었어. 이렇게 국가에 의해 가축의 살처분이 시작되면서 구제역은 무서운 동물 전염병이자 엄청난 비용 손실을 초래하는 질병으로 간주되기 시작했단다. 광범한 국가적 통제수단을 통해 근절시켜야 할 무엇으로 둔갑한 거지. 즉 질병을 바라보는 프레임이 바뀐 거야. 구제역에 대한 새로운 틀짜기가 이 병을 국가적으로 관리하고 근절해야 하는 무서운 병으로 바꾼 거야. 이런 점에서 구제역은 자연의 산물일 뿐 아니라 사회, 경제, 문화의 산물이기도 해. 다른 가축전염병들 또한 마찬가지란다.

우리나라도 같은 이유로 법정 가축전염병이 발생할 때마다 매년 많은 수의 가축들이 살처분되고 있지. 2014년 AI가 발생했을 때에는 1,400만 마리가 넘는 가금류가 살처분됐어. 살처분하는 이유는 간단해. 양계업자들이 닭을 키우는 이유가 돈을 벌기 위해서잖니. 그런데 닭이 아프면 잘 크지를 않아. 앞에서 수평아리에 대해서 이야기했지. 수평아리들도 잘 크지 않는 다는 이유로 죽이는데 전염병에 걸린 닭들을 어떻게 하겠어. 산란계는 제때제때 계란을 낳아야 하고 육계는 하루가 다르게 부쩍부쩍 자라야 하는데 병치레를 하느라고 잘 자라지 않는 거야. 또 공장식 양계장의 환경이 좋지 않아 잘 낫지도 않아. 그것 자체가 막대한 자본을 투자해서 운영하는 오늘의 공장식 축산업계에는 엄청난 손해인 거지. 시간이 돈이기 때문이야. 그래서 판을 다시 깔기 위해서 모두 살처분하는 거야. 보상금을 잘 받지 못하는 규모가 작은 양계농가는 막대한 손해를 보지만 큰 규모의 양계농가는 국가로부터 보상금이라는 명목으로 손실 부분을 충당한단다.

공장식 양계장은 도박과 같아. 다수의 닭들을 좁은 곳에 밀집 사육하니 늘 전염병의 위험이 있지. 공기가 좋지 않기 때문에 항상 전염성 호흡기 질병을 앓을 수도 있고 말이야. 대박을 꿈꾸다가 쪽박을 찰 수 있는 거지. 그래서 대규모 양계업자들은 제도적으로 안전판을 만드는 거야. 그것이 바로 법정 전염병에 걸린 경우에는 살처분을 하고 국가로부터 보상금을 받는 거란다. 그러면 병에 걸려서 시름거리는 닭들을 돌볼 필요 없이 모두 살처분 시키고 다시 안정적으로 시작할 수가 있어.

아무리 전염병 때문이라고 해도 몇 백만 마리씩 살처분하는 것은 너무 잔인한 것 같아요. 동물보호법이 있는데 살처분은 너무한 것 아닌가요?

2010년에 안동에서 구제역이 발생했을 때 340만 마리가 넘는 가축을 살처분했어. 또 2014년 AI가 발생했을 때에는 1,400만 마리가 넘는 가금류를 살처분했고. 이런 살처분은 다양한 부작용을 야기했어. 방역에 동원된 공무원이 과로로 인하여 숨을 거두기도 했고 여러 사람들이 동물을 매립하는 과정 중에 다쳤다고 해. 또 수백 마리의 살아 있는 가축을 생매장하는 작업에 동원된 사람들은 동물들이 생매장되면서 울부짖는 울음소리와 애원하는 듯한 눈빛이 기억 속에 남아서 고통스럽다며 외상 후 스트레스 장애(PTSD : post traumatic stress disorder) 증상을 보였어. 당연한 현상이겠지. 다른 생명이 고통스럽게 죽어가는 모습을 어떻게 맨정신으로 보고 있겠어. 또 매장한 동물들에서 나온 침출수가 주변 농지나 지하수로 흘러나오는 등 2차 환경오염 문제를 일으켰다는구나.

하지만 이러한 뉴스들에서 간과한 것이 있어. 구제역 발생으로 인하여 입게 되는 경제적인 손실과 인명의 손상 등 인간 위주의 보도는 있었지만, 산 채로 생매장당하는 생명인 가축들의 고통에 대해서는 간과했다는 거지.

인간의 역사를 보면 여러 차례의 대학살이 있었지. 아빠는 가축전염병으로 생매장 당하는 동물들을 보면 인간이 인간을 참혹하게 죽였던 역사적 사건들이 떠올라. 사람들은 인간이 인간을 죽인 사건과 동물을 죽이는 것은 전혀 비교할 수 없는 거라고 이야기할지 몰라. 그렇다면 인간이 인간을 무참하게 죽인 역사적 사건과 지금 자행되고 있는 인간이 동물을 잔혹하게 죽이는 것이 무엇이 다른지 명확하게 이야기할 수 있어야 해.

인간과 동물은 근본적으로 다르기 때문에 인간이 동물을 무참히 죽이는 것은 허용될 수 있다고 이야기할지도 몰라. 그렇게 인간이냐 동물이냐 종에 따라서 다르게 대할 수 있다고 생각한다면 본인은 그렇게 생각하지 않더라도 종차별주의자인 거야. 차별주의자는 자신의 기준에 따라서 무엇인가를 차별해. 나치도 유대인은 종자가 다르기 때문이라며 자신의 행위를 정당화했어. 또 일본군도 조선인이나 중국인은 천한 민족이기 때문에 죽여

구제역과 AI 발생 시 경제적 손실과 인명 손상 등 인간 위주의 보도는 있었지만, 생매장당하는 가축의
고통에 대해서는 간과되었다.

도 된다며 학살했고 말이야. 그 학살자들은 다른 민족과 자신들을 같은 인간이라는 것을 인정하지 않았지. 애당초 다른 종자이기 때문에 학살하는 것이 문제가 될 게 없다고 했어. 그들은 자신들의 차별은 절대적으로 옳다고 생각을 했어. 그렇기에 그런 무자비한 만행을 저지를 수 있었겠지. 백인우월주의자나 남성우월주의자들 또한 마찬가지야. 그들은 흑인이나 여성을 자신들과 같은 존재라고 생각하지 않고 차별을 당연하다고 생각해. 이렇듯 차별주의자들은 자신의 차별적 기준은 정당하다고 생각한단다.

이런 차별적 기준이 다른 생명을 대하는 기준이 되어서는 안 돼. 우리는 오늘날 우리 인간이 다른 생명을 마구 대함으로 인해 매년 3만 종씩 멸종시키는 생태계 위기의 시대를 살고 있단다. 생태계가 온전하지 못하면 그 속에서 삶을 영위하고 있는 다른 생명들을 포함하여 인간 또한 위기를 맞을 수밖에 없다는 것을 인식해야 해. 인간은 생태계에서 초월적 존재가 아니야. 이러한 시각에서 우리는 사람을 비롯하여 다른 생명들을 어떻게 대해야 하는지 최소한의 기준을 다시 한 번 생각해봐야 해. 그 기준은 '인간과 동물은 다르니까 마구 대해도 돼' 그런 것일 수는 없어. 우리가 기준으로 삼는다면 '내가 대우받고 싶은 대로 상대방을 대하라' 는 것이야. 내가 존중받고 싶다면 상대가 동물이라고 하더라도 그 동물을 존중해줘야 해. 내가 고통을 받기 싫다면 동물의 고통을 줄이기 위해 노력을 해야 하는 것이고.

혹자는 강한 것이 약한 것을 지배하는 것이 (있지도 않은) 자연의 법칙이라고 이야기한단다. 인간이 지구를 지배하고 있는 종족이기에 (그렇게 바라보는 인간의 눈에는) 인간의 모든 행위는 정당화될 수 있다고 이야기할지 모르지. 그렇다면 2차 대전 당시에 강자였던 나치나 일본군의 살육행위는 무엇을 기준으로 비판할 수 있을까. 강한 것이 지배할 수는 있지만 인간이 인간을 죽이는 것만은 안 된다고 말해야 할까? 그렇다면 인간 사회 내에서 강한 자들이 약한 자들을 억압하고 착취하는 것에 대하여 동일한 기준으로 강한 것이 약한 것을 억압하고 착취하는 것은 당연한 것이고 허용되어져야 하는 것일까? 어떤 동일한 성격의 사건에 대하여 판단할 때에는 동일한 기준을 적용해야 공정한 것이니까 말이야. 그럼에도 불구하고 많은 사람들은 어떤 가치를 판단함에 있어 시시때때로 인간에게만 허용하는 경우가 있어. 그것은 아쉽게도 스스로 '종차별주의자'임을 드러내는 일이야.

아빠는 미흡하기는 하지만 최소한 동물보호법에 규정한 대로 도살해야 한다고 생각해. 많은 가축들이 가축전염병 예방법에 의하여 도살되고 있어. 가축전염병 예방법에는 다음과 같이 도살 방법을 정하고 있단다.

가축전염병 예방법 ③법 제20조 제1항(법 제28조에서 준용하는 경우를 포함한다)의 규정에 따라 살처분 명령을 받은 자는 당해 가축을 사살·전살·타격·약물 사용 등의 방법으로 즉시 살처분하여야 한다.

동물보호법 제11조(동물의 도살 방법) ① '축산물위생관리법' 또는 '가축전염병예방법'이 정하는 바에 따라 동물을 죽이는 경우에는 가스법·전살법 등 농림수산식품부령이 정하는 방법을 이용하여 고통을 최소화하여야 한다. 〈개정 2008.2.29, 2010.5.25〉
②제1항의 경우 외에도 동물을 죽이지 아니하면 아니 되는 경우에는 고통을 최소화할 수 있는 방법에 따라야 한다.

혹자는 소와 돼지 등은 인간의 이윤을 추구하기 위해서 키워지는 가축이지 동물이 아니기 때문에 동물보호법에 적용되지 않는다고 말할지도 몰라. 그렇게 생각하는 사람들을 위하여 동물보호법에는 동물을 명확하게 규정하고 있어.

동물보호법 제2조(정의) 이 법에서 사용하는 용어의 정의는 다음과 같다.
1. '동물'이라 함은 소·돼지·개·고양이·토끼·닭·오리·산양·면양·사슴·여우·밍크 등 척추동물로서 대통령령이 정하는 동물을 말한다.

가축전염병 예방법이나 동물보호법 어디에도 동물을 산 채로 매장해도 된다는 구문은 없어. 모두 동물의 고통을 최소화하기 위한 방법을 사용해야 한다고 되어 있지. 그렇다면 최소한 법이 정한 대로 도살해야 해. 그리고 법을 위반한 경우 법에 의해서 처벌받아야 하지. 그런데 아쉽게도 가축전염병 예방법이나 동물보호법에는 도살 방법을 어겼을 경우에 대한 처벌조항이 없어. 그러하기에 처벌 조항 또한 신설·강화해야 한다고 생각해.

그런데 이렇게 법을 이야기하거나 근본적인 문제를 말하면 축산 현실을 모르는 소리 취급을 당하지. 법에 정한 대로 하려면 얼마나 많은 인원이 있어야 하고 약품이 필요하며 그에 따른 비용이 들어가는 줄 아냐고 말이야. 돈이 있으면 그렇게 하는데 돈이 없기 때문에 그렇게 하지 못한다는 거지. 그럼 돈이 없으면 살아 있는 생명을 생매장해도 된다는 것일까? 살아 있는 생명이 차디찬 흙에 덮여서 고통스럽게 죽어가도록 방치하는 것이 타당한 것인지 깊이 생각해봐야 할 거야.

이렇게 가축전염병과 관련하여 사람들이 가축을 살처분하는 것은 모두 최소의 금액으로 더 많은 이익을 얻기 위한 욕심에서 발생하는 것이야. 움직일 수도 없는 좁은 곳에 가축들을 가두어 키우는 것도 그렇고, 사료 효율성만을 생각하여 가축을 도축하는 것도 그렇고 또 전염병 때문에 생매장하는 것도 그래. 우리는 가축들을 이러한 방식으로 대해도 되는지 고민을 해봐야 할 거야.

예전에 전태일이라는 젊은 청년이 있었어. 그 청년은 당시 노동법에 명시되어 있는 권리조차도 보장받지 못하고 착취당하는 노동자들의 상태를 개선해달라며 분신을 했어. 그 젊은 청년의 일대기를 담은 『전태일 평전』을 읽어보면 그 당시 노동 환경이 어땠는지 나와.

"종업원 대부분이 여자로서 평균 연령 19~20세 정도가 미싱을 하는 사람들이고, 14~18세가 시다를 하는 사람들일세. 보통 아침 출근은 8시 반 정도. 퇴근은 오후 10시부터 11시 반 사이일세. … 그 많은 먼지 속에서 하루 14시간의 작업을 마치고 집으로 돌아가는 노동자들의 모습은 너무나 애처롭네."

허리도 펼 수 없는 다락방, 실 먼지가 자욱한 그런 환경에서 환풍기도 없이 일하며 화장실을 가려고 해도 일일이 허락을 받아야만 했대. 그렇게 힘들게 일했는데도 어떨 때에는 회사가 어렵다고 하면서 몇 달씩 월급을 주지 않는 경우도 있었고 말이야. 당시 많은 노동자들이 그런 열악한 노동환경 속에서 착취를 당했어. 기업가는 이윤을 얻기 위해 돈을 투자하여 공장도 차리고 직원을 고용해서 사업을 해. 그러나 아무리 돈을 벌고자 해도 지켜야 할 선이 있는 거야. 노동자에게도 지켜야 할 선이 있는 것처럼 동물들에게도 지켜줘야 할 선이 있어야 하는 거야.

5
가축도 생명이다

축산물에 대한 공정한 소비를 위하여

아빠, 공장식 축산도 살처분도 모두 이윤을 많이 얻으려다 보니 생긴 방법들
이네요. 요즘 마트에 가면 동물복지인증이라는 표시가 붙은 것들이 있던데요,
그런 표시가 붙은 제품들은 좀 더 나은 환경에서 사육된 것일까요? 비록 먹
거리를 위해 기르는 동물이지만, 살아 있는 동안만이라도 덜 고통스럽고 편
안하게 살 수 있으면 좋겠어요. 산업이란 원래 이윤을 목적으로 한다지만, 어
떻게 하면 그렇게 될 수 있을까요?

그래 네 말대로 바로 '이윤'이라는 것이 수많은 기준을 뒤바꿔놓은 요소
란다. 축산이 공장식이 되지 않았을 때는 육식을 지금처럼 풍족하게 할 수
는 없었어. 지금은 정말 많이 저렴해졌고 풍족하게 먹을 수 있게 되었지. 그
러나 가축들은 단지 돈벌이 수단으로 전락하였고 더욱 고통을 받게 되었단
다.

186

현실이 이렇다면 동물복지와 병행할 수 있는 축산물 소비의 해답은 쉽게 찾을 수 있어. 축산업자들은 생산단가를 낮추기 위해 가축을 더욱 열악한 상황으로 몰아넣고 있지. 그에 반해 비좁은 시설에 가두어 키우는 공장식 축산을 포기하고 가축들이 땅을 밟고 햇볕을 쬐면서 살 수 있는 환경을 보장하게 되면 투자비는 더 들어가고 생산량은 많이 줄어들 거야. 그렇게 되면 계란이나 고기값이 많이 올라갈 수밖에 없고. 그렇기에 소비자들도 지금까지 너무나 싼 가격에 풍부하게 즐길 수 있었던 것을 포기해야 하는 거야.

지금 사람들이 육식을 싸게 이용할 수 있는 것은 여러 가지 이유가 있어. 그 첫 번째는 가축들을 열악하고 고통스러운 환경에서 밀집사육하면서 사육비용을 낮추었기 때문이지. 그 다음은 공장식 축산농장에서 배출되는 축산폐수를 제대로 처리하지 않고 방류하면서 그런 정화 비용에 들어갈 비용을 지불하지 않기 때문이란다. 이로 인해 축산농가들이 몰려 있는 곳들은 대부분 수질이 악화되어 있어. 이렇게 정화되지 않은 폐수를 국민의 세금으로 정화하고 있는데, 이러한 모든 비용을 축산업자들이 부담하도록 해야 해. 그리고 그 비용이 반영된 것을 고기를 먹는 수익자인 소비자들이 부담하는 거야. 이렇게 자신이 구입하는 물건에 대하여 지불해야 하는 비용을 제대로 지불하고 소비하는 것이 공정한 소비야.

영국의 동물과 관련된 전문가로 이루어진 브람벨위원회는 동물 사육에 다음과 같은 '다섯 가지 기본적인 자유'가 제공되어야 한다고 권고하고 있어.

"우리는 한 동물의 자연스러운 행동을 구성하는 대부분의 주요 활동이 이루어질 수 없을 정도로 심하게 감금하는 것에 대해서는 원칙적으로 찬성하지 않는다. 최소한 동물은 별다른 어려움 없이 한 바퀴 돈다든가 몸치장을 할 수 있어야 한다. 또한 그들은 일어섰다 앉았다 하거나 자신의 사지를 펼칠 수 있을 만큼의 자유를 누려야 한다."

이러한 '다섯 가지 기본적인 자유'는 '밧데리 새장'이라는 좁은 닭장에 4~6마리씩 갇혀 키워지는 암탉이나, 새끼를 돌볼 수 없는 틀에 갇혀 있는 암퇘지들, 또 소들에게 허용되어져야 할 거야. 밀집 사육을 하지 않고 좋은 환경을 만들려면 당연히 비용이 더 들어가고 그렇게 비용이 더 들어가면 축산물 가격이 오를 수밖에 없고 가격이 오르면 소비자들이 외면을 할 거라고 이야기할 수도 있어. 그래서 동물을 학대하고 착취하여 이윤을 추구하는 것이 오늘의 축산업이란다.

사람들 중에는 공정한 소비를 위해 제3세계의 커피를 구입하는 사람들도 있어. 공정한 소비는 그렇게 멀리 있는 것만은 아니야. 육식을 할 수밖에 없다면 동물들이 생명으로서 존중받는 최소한의 공간에서 사육될 수 있는 비용과 축산폐수를 처리하는 비용, 더 나아가 축산업으로 인해 파괴된 환경을 복구하는 비용까지 모든 비용이 반영된 제대로 된 비용을 지불하고서 축산물을 구입해야 한다고 생각해. 그것이 생명을 생각하는 공정한 소비니 말이야. 그렇게 되면 축산물 가격이 많이 오를 거야. 또 축산물 가격이 올라서 많이 먹지 못하게 될 거고. 하지만 그게 정상적인 모습이야. 지금은 환경을 엄청나게 파괴하면서 그 복원 비용을 지불하지 않고 동물을 고통스러운 환경에서 키우기 때문에 싸게 먹을 수 있는 거지. 그런데 이런 방식은 벗어나야 하지 않을까 싶어. 지금과 같은 방식은 결코 지속 가능할 수 없기 때문이야.

생각해보면 공장식 축산을 통해 이윤을 축적하는 사람들만의 문제가 아니네

동물복지농장은 가축들에게 살아가는 동안 자유로운 공간을 제공한다.

요. 보다 연한 고기, 지방이 골고루 박혀 있는 고기를 더 좋아하는 소비자의 요구가 존재하는 것도 사실이니까요. 생명 존중이란 것이 거창한 것이 아니라 실생활과 밀접하다는 것이 느껴져요.

우리는 지구라는 초록별에서 수많은 생명들과 같이 살고 있어. 이 수많은 생명들은 서로 다양한 관계를 맺으면서 생태계를 이룬단다. 이 생태계가 온전해야지 그 속에서 사는 모든 생명들이 지속적으로 살아갈 수 있어.

그런데 사람들은 자기만 특별하고 강하다며 다른 동물들을 마구 대한단다. 자기는 신의 선택을 받았다거나 진화를 더 했다거나 그런 식으로 다른 생명들과 차원이 다르다고 생각해. 또 강하다고 여겨. 그러면서 다른 생명들을 마구 다뤄. 아마존 밀림을 마구 벌목하여 소비해버리고 자신에게 도움이 안 되는 동물들은 마구 학살해왔지. 옛날에 아메리카 신대륙에는 엄청난 수의 버펄로가 있었거든. 그 버펄로가 이동할 때 끝이 보이지 않았다고 해. 그런데 그 버펄로가 자기들의 소를 키우는 데 방해된다며 버펄로 사냥꾼을 동원해서 순식간에 거의 멸종 상태로 만들어버렸지. 그런 경우가 한두 가지가 아니야. 도도새라고 들어봤지? 이 새는 날개도 짧고 통통하게 생겼어. 이 새가 사는 섬은 모든 것이 풍요로웠기 때문에 굳이 날거나 바쁘게 뛰어다니지 않아도 평화롭게 살 수 있었던 곳이야. 누가 곁에 와도 경계할 필요가 없는 곳이었지. 도도새는 사람들이 곁에 와도 경계하지 않았어. 그런데 유럽인들이 들어와서 보이는 대로 죽여서 멸종되어버렸단다. 사람들은 다른 동물을 자신에게 필요 없으면 죽여버리고 또 닥치는 대로 잡았어. 그리고 쉽게 다룰 수 있는 동물은 가축화시켜서 고통스러운 환경에 사육하고 있지.

사람들은 모든 동물을 이렇게 가혹하게 다루면서도 약육강식 혹은 적자 생존의 법칙을 들먹이며, 이것은 자연의 법칙이기에 자연스럽고 당연한 거라고 말해왔단다. 하지만 이것은 힘 있는 자들이 자신들의 폭력을 합리화하기 위한 이데올로기에 지나지 않아. 자연계에는 인간들이 말하는 약육강식의 법칙 따위는 존재하지 않아.

물론 동물의 세계를 들여다보면 조금 더 크고 힘센 동물이 그보다 작은 동물을 먹이로 잡아먹어. 개구리는 메뚜기를 잡아먹고 뱀은 개구리를 잡아먹고 멧돼지는 뱀을 잡아먹고 사자는 멧돼지를 잡아먹지. 이것을 먹이피라미드라고 교육받아왔고 말이야. 하지만 자연계에는 인간들이 생각하는 그런 일방적이고 탐욕스러운 먹이피라미드가 존재하지는 않아. 사자가 벼룩이나 파리, 개구리까지 모두 잡아먹지는 않거든. 또 늙고 힘 빠진 사자는 승냥이와 독수리의 먹이가 되고 죽은 멧돼지나 사자의 시체는 작은 동물의 먹이가 되지. 자연계에서의 먹고 먹히는 관계는 먹이피라미드에서 말하듯이 일방적인 관계가 아니라 순환의 관계야. 또 먹이사슬의 최상위에 있다는 사자나 호랑이도 몇 세대에 걸쳐서 먹고 남을 만큼의 먹이를 쌓아두지도 않으며, 때로 먹이가 없어 굶어죽기도 해. 그것이 자연이고 자연스러운 일이야.

그럼에도 인간들은 스스로 동물과는 비교할 수 없는 존재라고 평가하며 그것을 기준으로 동물들을 가혹하게 다뤄왔어. 하지만 그것은 뭐라고 변명을 한다고 하더라도 폭력일 뿐이고 탐욕일 뿐이야. 이러한 폭력과 탐욕으로 우리의 삶의 기반인 지구의 생태계는 무참히 파괴됐지. 이것이 남을 파괴하는 것이 아니라 우리 생명의 기반을 파괴한다는 것도 모른 채 말이야.

지구에는 무수히 많은 생명들이 살고 있어. 이 생명 하나하나는 모두가 위대한 존재들이야. 인간 또한 특별하고 위대한 존재지. 하지만 우리가 지구의 생명공동체에서 위대하기 위해서는 지금과 같이 자기만 살겠다고 다른 생명체들을 마구 대하는 방식이어서는 안 돼. 다른 생명을 말살하는 것이 아니라 다른 생명들을 받들고 살리는 존재가 되어야 진정 위대한 존재라 평가받을 수 있을 거야.

우리는 너나없이 지구의 생명체들 덕분에 먹고 살고 있는 거야. 그런데 그들 생명체들에게 감사한 마음을 갖기보다는 스스로 생명의 기반인 그 생명체들을 멸종시키고 있거든. 그러기에 인간은 자연의 생명체들에게 죄인이란다. 인간은 스스로 우월한 존재라고 떠벌리고 다닐 것이 아니라 자연의 생명들에게 미안한 마음으로 조심하면서 살아야 해. 당장 바로 곁에 있는 반려동물과 길고양이들에서부터 시작해 소, 돼지, 닭과 같은 가축들을 어떻게 대해야 하는지 생각해봐야 할 거야. 나의 이익만을 생각할 것이 아니라 내가 조금 불편해도 그 동물들과 어떻게 공존할 수 있는지 또 그 동물들의 고통을 어떻게 하면 조금이라도 줄여줄 수 있을지 말이야.

닫는 글

요란하게 울리는 전화벨 소리에 잠을 깼습니다. 은실이라는 개의 보호자에게서 온 전화였습니다. 은실이가 새끼를 낳는데 힘만 주고 낳지를 못하고 있다고 합니다. 저녁 7시부터 진통을 하기 시작했는데 아직 낳지 못하고 있다고 말입니다. 전날 피곤한 일이 있어서 일찍 잠이 들어 잠결에 얼핏 시계를 보니 9시가 조금 넘은 시간 같아서 좀 더 지켜보라고 했는데 너무 오래 힘만 주고 새끼를 낳지 못한다고 보호자분이 하소연을 하셨지요. '얼마 지나지도 않았는데 보호자 분이 기다리지를 못하시네'라고 생각하며 시계를 다시 보니 새벽 4시였습니다. 너무 깊이 잠에 빠져들어 얼마를 자고 있었는지 감이 없었나봅니다. 저녁 7시부터 진통을 했으니 10시간 가까이 진통을 하고 있는 셈이지요.

이틀 전에 엑스레이 검사를 할 때 4마리의 새끼 중에 특히 머리가 큰 애가 하나 있는 것을 보고 자연 분만하기 어려울 거라고 예상을 했었지요. 보호자 분에게 빨리 동물병원에 데려오라고 하였습니다. 역시나 머리가 큰 강아지 한 마리가 골반에 꽉 끼여서 분만하는 데 애를 먹었습니다. 그래도 살살 달래서 모두 자연분만을 했습니다. 암컷 2마리, 수컷 2마리였습니다. 새끼들은 모두 건강했습니다. 세상에 나온 지 얼마 지나지 않은 새끼들은 어미의 젖을 파고듭니다. 또 어미는 젖어 있는 새끼들을 연신 핥아줍니다.

평소에는 낯을 별로 가리지 않던 은실이였지만, 사진을 찍는 저를 보고 새끼에게 해코지를 할까 걱정이 되는지 으르렁거리더군요. 새끼를 돌보려는 타고난 모정이지요. 갓 태어나서 아직 눈도 뜨지 못한 강아지들이 숨을 내쉽니다. 배고프다고 찡얼거리며 어미 젖을 찾아갑니다.

이렇게 갓 태어난 강아지를 보고 있으면 생명이란 무엇인가 하는 경외감이 절로 듭니다. 새벽에 밤잠을 설치고 새끼를 받는 일은 피곤한 일이지만 새 생명은 보고 있는 것만으로도 기분이 좋아지고 사람을 황홀하게 만들더군요. 이것이 바로 생명의 신비겠지요. 이 강아지들이 행복하게 살 수 있었으면 좋겠습니다.

강아지가 이러할 정도인데 사람은 말해서 무엇하겠습니까. 생명의 신비로 이 세상을 밟은 모든 생명이 행복하기를 소망합니다. 그리고 그렇지 못한 우리 주변 곳곳을 떠올리며 '왜?'라는 의문을 한 번쯤 품어주시길 바랍니다.

참고문헌

권지형·김보경, 『임신하면 왜 개, 고양이를 버릴까?』, 2010, 책공장더불어.
『농림수산식품부통계연보』, 2011.
문진산, 「동물등록제에 사용되는 내장형 마이크로칩의 기준규격 설정 및 조작요령」, 『대한수의사회지』, 49, 2013,
박상표, 『가축이 행복해야 인간이 건강하다』, 개마고원, 2012.
박종무, 『개아토피 자연치유력으로 낫는다』, 리수, 2015.
박종무, 『모든 생명은 서로 돕는다』, 리수, 2014.
앤 N. 마틴, 이지묘 옮김, 『개고양이 사료의 진실』, 2011, 책공장더불어.
제레드 다이아몬드, 김진준 옮김, 『총, 균, 쇠』, 문학사상사, 1998.

찾아보기